ZALACAÍN
EL AVENTURERO

AUSTRAL NARRATIVA

PÍO BAROJA

ZALACAÍN
EL AVENTURERO

EDICIÓN
RICARDO SENABRE

GUÍA DE LECTURA
ÓSCAR BARRERO PÉREZ

AUSTRAL NARRATIVA

Primera edición: 26-IV-1943
Cuadragésima novena edición (primera en esta presentación): 16-I-2007

© *Julio y Pío Caro Baroja, Madrid, 1909, 1943*

© *De esta edición: Espasa Calpe, S. A., Madrid, 1943, 1987*

Diseño de cubierta: Joaquín Gallego
Preimpresión: MT, S.L.

Depósito legal: M. 40.420—2006

ISBN 978—84—670—2160—8

Espasa, en su deseo de mejorar sus publicaciones, agradecerá cualquier sugerencia que los lectores hagan al departamento editorial por correo electrónico: sugerencias@espasa.es

Impreso en España/Printed in Spain
Impresión: Unigraf, S. L.

Editorial Espasa Calpe, S. A.
Vía de las Dos Castillas, 33. Complejo Ática - Edificio 4
28224 Pozuelo de Alarcón (Madrid)

ÍNDICE

ZALACAÍN EL AVENTURERO

INTRODUCCIÓN

UNA VIDA GRIS Y LABORIOSA

Evocar y reconstruir la dilatada vida de Pío Baroja es sumamente sencillo. El lector interesado cuenta con varias biografías minuciosas, pero, sobre todo, con los siete volúmenes de Memorias que, con el título general de *Desde la última vuelta del camino*, fue publicando el autor entre 1944 y 1949. No obstante, Baroja había ofrecido ya numerosos esbozos autobiográficos desde muchos años antes, en ensayos y conferencias como los contenidos en los volúmenes *Juventud, egolatría* (1917), *Las horas solitarias* (1918) o *Divagaciones apasionadas* (1924), sin olvidar su discurso de ingreso en la Real Academia Española (1935), titulado «La formación psicológica del escritor». Existen, además, abundantes retazos biográficos incorporados a muchas novelas, como *Camino de perfección, El árbol de la ciencia* o *La sensualidad pervertida* —entre otras—, que confirman los datos conocidos. Si la obra barojiana es todavía, por su calidad y riqueza, susceptible de abundantes estudios y análisis, la vida del autor carece de zonas oscuras, como carece de grandes acontecimientos. En las últimas líneas de sus Memorias confesaba melancólicamente Baroja que su vida le había producido «una impresión más bien gris. La infancia, poca cosa; la juventud, mediocre, con una temporada de médico de pueblo y otra de pequeño industrial. Después, trabajando sin éxito de editor. Luego, de viejo, escapando a París y otra vez la vida pobre y ramplona, ganando poco, sin dinero y sin prestigio». Y, sin embargo, en este marco gris y mediocre se inscribe la creación de medio centenar de novelas largas, de más de sesenta novelas cortas y otros tantos cuentos, de dos docenas de libros de ensayo, de varias obras de teatro y hasta de un libro de versos *(Canciones del suburbio,* 1944) que dan fe de la extraordinaria laboriosidad del escritor. Acudamos a su voz para revisar su itinerario vital.

«He nacido en San Sebastián el 28 de diciembre de 1872, en la casa número 6 de la calle de Oquendo, casa que había construido mi abuela doña Concepción Zornoza —declara Baroja—. El recuerdo más antiguo de mi vida es el intento de bombardeo de San Sebastián por los carlistas. Este recuerdo es muy borroso, y lo poco visto por mí se mezcla con lo oído [...] También tengo una idea confusa de la vuelta de unos soldados en camillas y de haber mirado por encima de una tapia un cementerio pequeño, próximo, en donde había muertos sin enterrar con uniformes rotos y podridos». Lo «poco visto» y «lo oído» acerca de las guerras carlistas despertará en el Baroja maduro la afición a este período de la historia española, marco de las andanzas de Aviraneta en la serie *Memorias de un hombre de acción* y presente también, directa o indirectamente, en otras novelas barojianas, entre ellas ZALACAÍN EL AVENTURERO.

«De San Sebastián fuimos a Madrid, creo que por el año 1879 [...] En 1881, de Madrid nos marchamos a Pamplona [...] De la vida infantil en Pamplona he hablado en dos novelas: en *La sensualidad pervertida,* libro en gran parte autobiográfico, con muchas cosas disfrazadas y cambiadas, y en *Silvestre Paradox* [...] En la calle Nueva, en el piso de al lado, vivía una familia formada por dos señoras: una de ellas con dos hijos, y la otra, una viuda [...] Esta señora comenzó a venir [...] a hacer tertulia a nuestra casa, y solía contar muchas historias de la época de la guerra carlista, que eran bastante interesantes y pintorescas [...] Algunas, a pesar de recordarlas muy vagamente, me sirvieron para las *Memorias de un hombre de acción,* transportándolas de la segunda a la primera guerra civil [...] A los cuatro o cinco años de estancia dejé Pamplona. No llegué a tener esas amistades comenzadas de niño, creadas lentamente, y que, a veces, pueden resistir las diferencias de temperamento y de ideas que se manifiestan después con la edad. Al cambiar del sitio donde se vive, sobre todo en la infancia, se cambia también de amigos. Todo ello, con los años, va empujando al aislamiento y se tiende a sentirse entre la gente un solitario». A partir de 1886, la familia se instala de nuevo en Madrid. El joven Baroja concluye el Bachillerato y se plantea «la cuestión de qué debía estudiar, de qué carrera iba a seguir. Yo sentía curiosidades; pero, en definitiva, vocación clara y determinada, ninguna». Por otra parte, el muchacho es muy aficionado a la lectura: «En Pamplona, los autores y libros leídos por mí fueron: Julio Verne, Federico Marryat, Gustavo Aimard, el *Robinson,* algunos folletines: *Las tragedias de París, El coche número 13* y *Creación y redención,* de Dumas». Adviértase la mezcla de novelas de aventuras y folletines truculentos, que forman un sustrato sin el cual no podría explicarse adecuadamente buena parte de la obra narrativa barojiana. «Yo devoraba en mi juventud todo lo que caía en mis manos, principalmente novelas», afirma Baroja en sus Memorias. En la segunda etapa madrileña, que corresponde al final del Bachillerato y a los primeros años universitarios, las preferencias confesadas del autor responden ya a una selección más exigente, pero aún subsiste el trasfondo del folletín romántico: «En Madrid, mis favoritos eran: V. Hugo, E. Sue, J. Sand, Zola, Espronceda y Bécquer [...] Recuerdo haber comprado novelas famosas en traducciones españoles por entregas».

El joven Baroja se decide a estudiar Medicina, y en tercer curso comienza a escribir, como él mismo recuerda: «Publiqué dos artículos en *El Liberal:* uno, creo que sobre Octavio Feuillet; el otro, sobre Elias Berthet, que debieron de morir por entonces. Había leído algo de los dos; pero los datos estaban copiados del Diccionario Larousse». (Los artículos, en efecto, aparecieron el 6 de enero y el 4 de febrero de 1891 en *El Liberal.* Pero Baroja olvidaba los trece artículos sobre literatura rusa publicados ya el año anterior, entre febrero y abril, en *La Unión Liberal,* elaborados también, sin duda, con ayuda del Larousse, a juzgar por las grafías de los nombres rusos). Lo más interesante es que el futuro escritor aborda por vez primera el relato: «Escribí también algunos cuentos y comencé dos novelas, que no puedo juzgar si estarían bien o no, porque las abandoné. La una se titulaba *El pesimista* o *Los pesimistas,* y la otra, *Las buhardillas de Madrid.* Creo que una de ellas debía de parecerse a mi novela *Camino de perfección,* y la otra, a *Las aventuras de Silvestre Paradox».* Los años de Baroja como estudiante de Medicina han dejado huella en una de sus más significativas novelas, *El árbol de la ciencia* (1911), obra caracterizada por su autor como «libro de carácter filosófico, en donde yo había puesto mis preocupaciones de médico y de aficionado a la filosofía [...] Aparecen los compañeros de estudio de la carrera, el Hermano Juan, tipos de bohemios extraños y algunas muchachas conocidas».

Concluida la licenciatura en Valencia y, poco después, el doctorado en Madrid —con una tesis titulada *El dolor. Estudio de psicofísica*—, Baroja ocupa una plaza de médico en Cestona, donde reside algo más de un año, de 1894 a 1895. Desde allí vuelve a Madrid para dirigir, con su hermano, la tahona de su tía Juana Nessi. Y en 1900 aparecen los primeros libros (si exceptuamos la tesis doctoral, publicada en 1896): *Vidas sombrías* —recopilación de cuentos dados a conocer antes en revistas y periódicos— y la novela *La casa de Aizgorri.* Sujeto aún a la pequeña industria de la panadería, que no abandonará hasta 1902, Baroja edita dos novelas más: *Aventuras, inventos y mixtificaciones de Silvestre Paradox* (1901) y *Camino de perfección* (1902). Comienza así una carrera ininterrumpida, jalonada por dos o tres volúmenes cada año, fruto de una pasmosa fecundidad. A raíz de la publicación de *Camino de perfección* se ofrece a Baroja un banquete de homenaje al que asisten, entre otros escritores, Galdós, Ortega Munilla, *Azorín,*

Valle-Inclán y Maeztu. Baroja decide entonces dedicarse exclusivamente a escribir. «Quería ensayar la literatura. Ya comprendía que ensayar la literatura daría poco resultado pecuniario, pero mientras tanto podía vivir pobremente, pero con ilusión. Y me decidí a ello».

Por entonces Baroja había hecho ya su primer viaje a París —escenario de algunas novelas posteriores— y a Roma, evocada en *César o nada,* así como diversas excursiones por España, con frecuencia a pie —Álava, la sierra de Guadarrama, Extremadura—, que le servirían más tarde para ambientar escenas de distintas narraciones. Luego un viaje a Londres le proporcionó materiales para su novela *La ciudad de la niebla.* En 1912 se perfilan ya con nitidez las características y la organización de la materia narrativa barojiana. Las novelas se agrupan en trilogías, algunas de ellas ya conclusas en esa fecha: «Tierra vasca», formada por *La casa de Aizgorri* (1900), *El mayorazgo de Labraz* (1903) y ZALACAÍN EL AVENTURERO (1909); «La vida fantástica», donde se recogen *Aventuras, inventos y mixtificaciones de Silvestre Paradox* (1901), *Camino de perfección* (1902) y *Paradox, rey* (1906); «La lucha por la vida» —una de las escasas trilogías cuyos componentes tienen mayor trabazón entre sí—, constituida por *La busca* (1904), *Mala hierba* (1904) y *Aurora roja* (1905); «El pasado», que abarca *La feria de los discretos* (1905), *Los últimos románticos* (1906) y *Las tragedias grotescas* (1907); finalmente, «La raza», integrada por *La dama errante* (1908), *La ciudad de la niebla* (1909) y *El árbol de la ciencia* (1911). En 1912, estas cinco trilogías se hallan ya completas, y hay dos iniciadas: «Las ciudades» y «El mar», que concluirá tras un largo paréntesis. Y todavía comenzará Baroja otras a partir de 1926: «Agonías de nuestro tiempo», «La selva oscura», «La juventud perdida»... El largo paréntesis mencionado se debe a que Baroja empieza, en 1913, las «Memorias de un hombre de acción», serie de veintidós volúmenes que se inaugura con *El aprendiz de conspirador* (1913) y concluye con *Desde el principio hasta el fin* (1935). En ellos, Baroja trata de reconstruir novelescamente la vida de un lejano pariente, don Eugenio de Aviraneta, mezclado en todo género de conspiraciones y aventuras durante el turbulento siglo XIX. El resultado es un extraordinario fresco de la España decimonónica —con algunas salidas ocasionales a otros lugares de Europa— en el que personajes y hechos reales y fondos históricos alternan con elementos de ficción. El propio Baroja, que narra en sus Memorias *(La intuición y el estilo,* VIII) los esfuerzos por conseguir documentación acerca de Avinareta en diversos archivos, comenta: «Algunos han comparado estas novelas mías a los *Episodios nacionales,* de Pérez Galdós. Aunque la comparación para mí sea halagüeña, no creo que sus libros históricos y los míos tengan más que un parecido externo: el que les da la época y el asunto. Galdós ha ido a la Historia por afición a ella; yo he ido a la Historia por curiosidad hacia un tipo; Galdós ha buscado los momentos más brillantes para historiarlos; yo he insistido en los que me ha dado el protagonista [...] Galdós pinta a España como un feudo aparte; yo la presento muy unida a los movimientos liberales y reaccionarios de Francia [...] Artísticamente, la obra de Galdós parece una colección de cuadros de caballete de toques hábiles y de colores brillantes; la mía podría recordar grabados en madera hechos con más paciencia y más tosquedad».

En 1934, y gracias a los buenos oficios de *Azorín,* Menéndez Pidal y Marañón, entre otros, Baroja es elegido miembro de número de la Real Academia Española, ante la general estupefacción de quienes hasta entonces lo tildaban de escritor desaliñado o de individuo rebelde y antiburgués. El 12 de mayo de 1935 Baroja lee su discurso de ingreso —«La formación psicológica del escritor»— en un acto rodeado de expectación, que el doctor Marañón, encargado de responderle, ha evocado muy vívidamente: «La tarde de su recepción se agolpaba la gente en el salón de actos, tal vez dudando todavía que el escritor rebelde apareciera vestido de etiqueta, rodeado de obispos y de personajes en uniforme, para leer un discurso lleno de flores y de cortesías protocolarias. Pero era verdad.

Baroja compareció, llevando su frac con la misma naturalidad con que llevaba los demás días un chaquetón de mal corte, con los bolsillos dilatados a fuerza de papeles y de libros. Y leyó, en un discurso inolvidable, su propia biografía, desgarrada, amarga y generosa [...] Baroja, hombre solitario y antiespectacular, recibió aquella tarde la manifestación de fervor colectivo más importante de su vida». A los sesenta y dos años, con lo esencial de su obra impreso, reeditado y traducido a varios idiomas, el nuevo académico mostraba, con palabras de Marañón, cómo «aquella vida arriscada, original y a contrapelo de todas las normas oficiales, terminaba en la Academia, sin violencia alguna, con la misma naturalidad con que un torrente vierte y disuelve, de súbito, su inquietud en la paz de un lago».

Al año siguiente —1936—, la insurrección militar sorprende a Baroja y a sus familiares en la casa de Itzea. Un tropiezo con una columna de requetés inquieta a Baroja, que se decide a atravesar a pie la frontera francesa y a instalarse en Sant Juan de Luz, desde donde se trasladará poco después a París, y luego a Basilea, invitado por su amigo de juventud Paul Schmitz. Durante este tiempo, Baroja subsiste modestamente gracias a sus colaboraciones periodísticas en *La Nación,* de Buenos Aires, y en diarios franceses, como *L'Intransigeant.* Vuelve a España en septiembre de 1937, pero, tras pasar el invierno en Itzea, retorna a París, de donde regresará una vez más a España en 1940 huyendo del conflicto europeo. De nuevo reside en Madrid, intentando reproducir su oscura y metódica vida anterior, repartida entre el trabajo, la lectura, las tertulias en casa y las visitas a las librerías de viejo. En París había compuesto Baroja dos novelas —*Susana y los cazadores de moscas* (1938) y *Laura o la soledad sin remedio* (1938)—, y las experiencias del exilio parisiense nutrirán algunas obras de los últimos años del escritor, como *El Hotel del Cisne* (1945), del mismo modo que estos años tendrán su reflejo en *Las veladas del chalet gris* (1952), donde el entramado novelesco alcanza ya su disolución y se acerca a la estructura de los últimos volúmenes de las Memorias. Un largo proceso de arteriosclerosis acaba con la vida de Baroja el 30 de octubre de 1956.

LA NOVELA BAROJIANA

En varios ensayos, en el prólogo a *La nave de los locos* (1925) y, con mayor amplitud, en el volumen V de sus Memorias, titulado *La intuición y el estilo,* desarrolló Baroja sus ideas acerca de la novela —«un saco donde cabe todo», como él mismo escribe—, de sus propias preferencias y de su manera de componer. «¿Hay un tipo único de novela? —se pregunta Baroja, para contestar a renglón seguido—: Yo creo que no. La novela, hoy por hoy, es un género multiforme, proteico, en formación, en fermentación; lo abarca todo: el libro filosófico, el psicológico, la aventura, la utopía, lo épico, todo absolutamente». La afirmación es, en efecto, incontrovertible, y sin salir de la obra barojiana sería posible hallar ejemplos de cada una de estas modalidades. Pero la variedad de enfoques y de historias no afecta a la esencial unidad del discurso narrativo de Baroja, y su peculiar estilo, que permite situar en idéntico plano, como emanadas de la misma mente ordenadora, modalidades tan aparentemente dispares como la filosófica de *El árbol de la ciencia* y la aventurera de *Los pilotos de altura.* La unidad del estilo proviene de una técnica compositiva y de un modo de narrar que no varían sustancialmente. Y ello, a pesar del confesado desdén que Baroja muestra a menudo hacia la técnica narrativa. Para él, «una novela es posible sin argumento, sin arquitectura y sin composición». Cuando Baroja, según él mismo relata, confiesa a Galdós «que yo escribía los libros sin técnica alguna», don Benito contesta: «Yo le probaría a usted con algunos de sus últimos libros en la mano [...] que hay en ellos, no sólo técnica, sino mucha técnica». El Baroja anciano que rememora esta conversación añade, ya en 1948: «De entonces acá he pensado en la técnica de la novela, y he visto que, en gran parte, Galdós tenía razón y que en los mejores escritores modernos, como en Tolstoi y Dostoievski, hay, a pesar del aspecto un poco descosido de la acción, una ciencia de novelista quizá intuitiva, muy perfecta y muy sabia». Y también en Baroja, habría que añadir, por lo que se refiere a sus mejores novelas.

Ya se ha dicho que en las primeras lecturas de Baroja predominan la novela de aventuras y la literatura folletinesca. Aunque con la madurez vaya concretando sus preferencias hacia autores como Dostoievski, Tolstoi, Dickens y Stendhal, se quejará Baroja de que «la crítica moderna, que se considera científica», haya descuidado el estudio de la literatura popular del siglo XIX, y recuerda como autores dignos de análisis a Dumas (padre), Sue, Ponson du Terrail, Wilkie Collins y Conan Doyle, entre otros, porque «lo que es ameno y divertido no desaparece del todo» y «lo divertido no puede ser malo; desde Shakespeare a Labiche, y desde Cervantes a Conan Doyle, no hay nada divertido que sea malo». Naturalmente, Baroja aclara que se refiere a lo que es divertido para «un público culto y civilizado», y argumenta: «Las obras de Eurípides, de Aristófanes, de Plauto, de Molière, el *Don Quijote* gustaron en un principio al público corriente y popular más que a los eruditos. Los eruditos siempre presentaron su reparo a los autores populares».

El folletín y la novela de aventuras proporcionan elementos de misterio, héroes que deambulan por muy variados paisajes, sucesos insólitos, personajes enigmáticos de oscuro origen y, en muchos casos, cierta actitud de subversión social y de defensa de los desheredados, aunque muy esquemáticamente desarrollada. La variedad de acontecimientos, la multiplicidad de personajes que aparecen, desaparecen y surgen de nuevo, ayuda a crear un ritmo rápido, acrecentado por el carácter itinerante de los tipos. Todos estos recursos, aunque dignificados y ennoblecidos por una superior ambición estética, se dan con frecuencia en la novela barojiana.

Por otra parte, la novela es para Baroja un reflejo de la época. Dado el recelo de don Pío ante la objetividad de los historiadores, no es extraño que llegue a declarar: «Es más exacta la novela buena para reflejar un medio social que el libro histórico excelente». Más aún: «No hay, seguramente, obra de economía o de hacienda que dé una idea del estado social de España en el tiempo como *Don Quijote*. A pesar de ser una ficción, es más realista que todas las obras de los sabios del tiempo». Afirmaciones de esta naturaleza, reiteradas una y otra vez a lo largo de los años, dan una idea muy exacta de las convicciones del novelista: «La Historia tiene menos realidad que la misma novela. No hay obra histórica que dé la impresión del estado social de España en tiempos de Felipe III como *Don Quijote*, ni del ambiente de la corte francesa y de la sociedad de Luis XV como las comedias de Molière, ni del carácter de Inglaterra, a mediados del siglo XVIII, como *Tom Jones*, de Fielding, ni de la época romántica de Francia como el *Rojo y negro*, de Stendhal, o *El padre Goriot*, de Balzac, ni del conjunto de la época victoriana en Inglaterra como el *Pickwick*, de Dickens».

De acuerdo con estos supuestos, Baroja procura partir siempre de hechos vividos, y le resulta difícil situarlos en lugares que previamente él no haya visto y recorrido. «A mí, en general, es un tipo o un lugar lo que me sugiere la obra. Veo un personaje extraño que me sorprende, un pueblo o una casa, y siento el deseo de hablar de ellos [...] Yo necesito escribir entreteniéndome en el detalle, como el que va por el camino distraído, mirando este árbol, aquel arroyo y sin pensar demasiado adónde va». Por eso, añade, «yo siempre he tendido a hacer descripciones por impresión directa, y sea amaneramiento o costumbre, no podría hablar de un personaje secundario sin conocerlo algo y sin saber dónde vive y en qué ambiente se mueve». Así, el viaje a pie que, con una duración de veinte días, realizó Baroja de Madrid a Portugal, en compañía de su hermano Ricardo y de Ciro Bayo, le sirvió para narrar la fuga del doctor Aracil y de su hija María en *La dama errante;* las excursiones al Guadarrama, en 1898, y la estancia en El Paular con Paul Schmitz en 1899 originan muchas páginas de

Camino de perfección; los viajes de Baroja con su padre desde
Cestona a Vitoria, así como otro efectuado al Urbión en 1901,
acompañado también por Paul Schmitz, proporcionaron al escritor tipos y paisajes para *El mayorazgo de Labraz* y, años
después, para algunas escenas de *El escuadrón del «Brigante»;* el viaje con Ortega y Gasset a Coria le permite al novelista situar en esta población extremeña algunas de las páginas más brillantes de *Los recursos de la astucia;* las andanzas
del escritor por Europa se reflejan en sus novelas más cosmo-
politas, como *El gran torbellino del mundo, Las veleidades de
la fortuna* y *Los amores tardíos,* que componen la trilogía
«Agonías de nuestro tiempo». Los ejemplos son innumera-
bles. El ambiente y los tipos de las obras barojianas —es decir, aquello que constituye su punto de partida, según confesión del propio autor— responden a tipos y ambientes reales,
registrados por la pupila atenta de un novelista dotado de gran
poder de observación. A partir de ahí opera la imaginación,
válida sólo en la medida en que desarrolla experiencias vivi-
das: «El escritor puede imaginar, naturalmente, tipos e intrigas
que no ha visto; pero necesita siempre el trampolín de la realidad para dar saltos maravillosos en el aire». Por eso afirma
Baroja que en un libro nota inmediatamente «lo que está visto y
lo que no está visto», y reprocha a Galdós haber situado uno
de los *Episodios nacionales* en Laguardia sin haber visitado antes la ciudad alavesa y valiéndose tan sólo de los datos propor-
cionados por el secretario del Ayuntamiento.

Consecuente con sus preferencias literarias juveniles, el tipo
ideal de Baroja es el hombre de acción, el aventurero —Zalacaín, Shanti Andía, Chimista, Aviraneta—, aunque, como era
inevitable, se plantee a menudo el conflicto entre acción y
pensamiento, tan característico del 98, que alcanza su forma
más acabada en el Andrés Hurtado de *El árbol de la ciencia,*
vencido por su propia incapacidad para actuar. En cualquier
caso, tanto si el predominio corresponde a la acción como al
pensamiento, los personajes desembocan en una temprana
muerte física —Zalacaín, Andrés Hurtado, el César Moncada

de *César o nada,* el Carlos Yarza de *Las tragedias grotescas*—
o en la abulia, el escepticismo y la desesperanza, como el
Quintín de *La feria de los discretos,* el Larrañaga de «Agonías
de nuestro tiempo» y el Fernando Ossorio de *Camino de perfección.* El ideal de la acción se plasma habitualmente en un
tipo de novela con muchos personajes, algunos sólo entrevis-
tos fugazmente, caracterizados a menudo con breves rasgos
pintorescos, y con abundantes desplazamientos por escenarios
distintos. Baroja expresa con frecuencia su rechazo de la lentitud narrativa: «La pesadez, la morosidad, el *tempo lento,* no
puede ser una virtud. La morosidad es antibiológica y antivi-
tal». En la práctica, no obstante, Baroja identifica el ritmo rápido con el cambio de lugares y personajes, aunque ambos
factores no sean necesariamente coincidentes. Así, el ritmo
acelerado de ZALACAÍN EL AVENTURERO, por ejemplo, se produce por el hecho de que un discurso relativamente breve con-
tenga veinticuatro años de la vida del personaje. En cambio,
los desplazamientos de Ossorio en *Camino de perfección*
ocultan la realidad de que la novela posee un ritmo lento,
como sucede en muchos otros casos de narraciones itineran-
tes. Precisamente los tipos secundarios surgen casi todos, siguiendo una tradición clásica, porque el héroe los encuentra
en su incesante peregrinación. Estos personajes, delineados
con trazos rápidos, hablan, cuentan historias —la oralidad es
característica frecuente en la formación de los seres barojianos— y hasta, en algunos casos, su multiplicación oscurece y
desvía la acción principal. En *El amor, el dandismo y la intriga,* por ejemplo, las andanzas de Leguía como enviado de
Aviraneta por Bayona, Madrid, París, Basilea y otros muchos
lugares pierden pronto su sentido y parecen convertirse en pretexto para ofrecer un desfile de docenas y docenas de tipos fu-
gaces que dan ocasión para un retrato, una anécdota, la expo-
sición de una ideas o la inserción de datos históricos. Con
todo, el valor de los detalles sobrepasa al de conjunto, y la
narración, sostenida únicamente por la omnipresencia del personaje, pierde unidad y se diluye en una serie de vivas estampas.

La agilidad narrativa, sin embargo, está presente en la escueta desnudez del lenguaje, en la naturalidad coloquial de los diálogos, en la percepción visual que selecciona lo más característicos de tipos y escenarios, en la cuidadosa dosificación de las descripciones, nacidas, como señala Baroja, «de la necesidad de poner la naturaleza de fondo a la vida del hombre». Para él, las descripciones deben ser «breves y sin amplificación exagerada». Desde el punto de vista técnico, la descripción en la novela «sirve para alejar unas partes de otras, hace como de marco de un incidente». Pero en Baroja, como en *Azorín* en menor grado, la descripción de un ambiente va unida a los individuos que se hallan en él; es indisociable de sus rasgos caracterizadores y hasta de su estado de ánimo. En esos casos, el paisaje adquiere valor simbólico. En *La busca,* después de narrar cómo Manuel duerme una noche al aire libre en compañía de un grupo de golfos, la descripción del amanecer incluye una pincelada sobre el Guadarrama, que «parecía como una alta muralla azul, con las crestas blanqueadas por la nieve». En aquella situación degradada, la cumbre nevada de la sierra simboliza la pureza distante e inalcanzable. *Camino de perfección,* que encierra algunas de las descripciones más perfectas salidas de la pluma de Baroja, ofrece multitud de ejemplos que ilustran esta relación estrecha entre personaje y ambiente; los distintos paisajes —El Paular, Toledo, la tierra levantina— van subrayando los jalones del itinerario espiritual de Fernando Ossorio.

Sostiene Baroja que los personajes novelescos son desdoblamientos del autor «en los cuales se elogia o se denigra con más o menos claridad lo que se inventa». Por lo que se refiere a la obra barojiana, la afirmación es exacta, y el hecho proporciona a estas novelas una de sus más acusadas características. Baroja transfiere a sus principales personajes experiencias propias —*El árbol de la ciencia, La sensualidad pervertida, Silvestre Paradox, Camino de perfección, El Hotel del Cisne,* etc.—, o experiencias soñadas, lo que ocurre con buena parte de las «Memorias de un hombre de acción» y con las novelas de aventuras, como las que forman la tetralogía «El mar». Lo que se transfiere no son únicamente hechos vividos, sino también pensamientos, opiniones, todo lo que configura una visión del mundo que es la del propio autor derramado en sus personajes o presente en la voz del narrador que enjuicia, satiriza, aprueba o rechaza, y ofrece al lector algo que se halla en las antípodas de la objetividad y el distanciamiento. Por lo general, los personajes barojianos —incluidos los «hombres de acción»— dialogan incesantemente y hablan de todo lo divino y lo humano: de literatura, de filosofía, de ciencia, de experiencias propias o ajenas, de sucesos importantes o de hechos triviales. La predilección de Baroja por el diálogo —y, en la vida, por la tertulia y la conversación— se manifiesta ya muy tempranamente, si atendemos a sus propias palabras: «De chico, cuando leía una novela, siempre saltaba las descripciones y las reflexiones, e iba a buscar, decidido, el diálogo y la acción [...] Solamente ya de viejo comencé a leer los libros completos, con todas sus frases. No me extasío con el sonido de una palabra, y con entenderla me basta».

Esta confesión nos lleva directamente a plantear el ideal estilístico de Baroja. Puesto que «tiene que haber una relación entre el asunto y la forma de expresión», como el propio escritor admite, ¿cuáles son los rasgos esenciales en que se cifra esa «forma de expresión» en la literatura barojiana? La perfección del estilo —afirma en una ocasión— reside «en no decir ni más ni menos que lo que se debe decir, y en decirlo con exactitud». Esto supone apartarse de lo que Baroja llama «el estilo como ornamentación verbal», que consistiría en decir las cosas «no con más perfección y exactitud, sino de una manera más llamativa y menos corriente». Baroja aspira al ideal del estilo que se apoya en «la claridad, la precisión y la rapidez». En cuanto al léxico, no debe ser artificiosamente rico, sino espontáneo: «El escritor que emplea las palabras que ha oído, sobre todo de niño, les da un sabor especial de verdad, de autenticidad, que no tienen casi nunca cuando las toma del diccionario. Yo no escribiré nunca *por ende, a mayor abunda-*

miento, enterizo, señero, reciedumbre, mañanero, madru-guero, ni hablaré de la *besana* o de los *albaranes* de las casas, porque estas y otras palabras las leo, pero no las oigo. Sobre todo, no las he oído. Esto me basta para no usarlas». Incluso en algunas páginas en prosa decididamente poemáticas que Baroja ha insertado en ciertas novelas, se advierte la tendencia a seleccionar un léxico sencillo y hasta trivial, ya que el lirismo se desprende de la repetición de ciertas estructuras y, sobre todo, de la conmovedora autenticidad con que están vistos los objetos. Sucede así, por ejemplo, con el «Elogio sentimental del acordeón» o el «Elogio de los viejos caballos del tiovivo» que aparecen en la novela *Paradox, rey.*

Por encima de todo, más allá de la cohesión estilística y de la sugestiva caracterización de ambientes y personajes. lo que mantiene en pie la novela barojiana es la extraordinaria capacidad narrativa del autor. La virtud de saber contar de una forma directa, muy cercana a la del relato popular, que convierte en interesantes los hechos más triviales, es algo que Baroja posee como ningún otro novelista del siglo XX. Baroja despojó la novela de corte galdosiano de adherencias discursivas y de informaciones accesorias, acercándola también más a la realidad. Puede compararse la aparente frialdad, la desnudez casi clínica con que se narra el suicidio de Andrés Hurtado en *El árbol de la ciencia* y el descubrimiento del cadáver, con los larguísimos preámbulos que anteceden a ciertos suicidios de la novela decimonónica, como el de Julia en *La pródiga,* de Alarcón, o el de don Ramón de Villaamil en *Miau,* de Galdós. Pero la pretensión barojiana no se cifra sólo en podar, sino en intensificar. Si Galdós se había aproximado a los barrios bajos en *Misericordia,* Baroja se zambulle hasta el fondo en el inframundo suburbial madrileño en la trilogía «La lucha por la vida»; y si Galdós ha creado personajes inolvidables del mundo burgués de la Restauración, desde Fortunata o Maximiliano Rubín hasta la *señá* Benina o el desdichado Villaamil, el Andrés Hurtado de *El árbol de la ciencia* o el Ossorio de *Camino de perfección* constituyen acaso los prototipos del es-

píritu noventayochista. Por otra parte, Baroja ha dignificado la
novela de aventuras y ha dado entrada en la literatura española
contemporánea a la narración marinera. Ha sido a la vez Ste-
venson y Conrad sin dejar de ser nunca Baroja.

ZALACAÍN EL AVENTURERO

ZALACAÍN apareció en Barcelona, publicada por el editor
Domenech, en 1909. «Con los datos que pude recoger de viva
voz escribí esta novela de aventuras, que creo que es de las mejores y más perfiladas que yo he escrito», confiesa Baroja. Hay
que decir que también de las más populares y difundidas. «De
Zalacaín el aventurero —recordaba el autor en 1948— se han
hecho nueve o diez traducciones, y se ha publicado el texto
en español, con notas, en Inglaterra, en los Estados Unidos y en
Suecia». Otros indicios de popularidad debían de reconfortar
aún más a Baroja. Sobre todo, el hecho de que su novela pasara
pronto a formar parte de la vida legendaria vasca: «En Cestona
me dijeron, señalándome una revuelta de la carretera: "Aquí es
donde echaría el fardo el coche contrabandista al que siguió
Zalacaín". Unos jóvenes de Estella discutieron delante de mí si
podía o no podía ser el que Zalacaín hubiese huido de la cárcel
de aquella ciudad». Que la historia del aventurero de Urbía
haya sido leída como crónica constituye, sin duda, el mejor homenaje a la novela que podía esperar el autor, que tantas veces
dio aire ficticio de crónica a sus relatos. «Hay gentes del País
Vasco —recuerda Baroja con evidente satisfacción— que
cuando pasan por algún sitio salvaje, abrupto, de la frontera,
dicen: "Por ahí andaría Zalacaín"».
   No es extraño si se considera que, en su misma composición, ZALACAÍN EL AVENTURERO posee numerosos ingredientes propios del relato épico —de una épica, claro está,
actualizada— y que el propio narrador ofrece pistas en este sentido. Cuando Zalacaín queda retenido en Logroño por Linda con
el pretexto de convalecer de una herida en el hombro, leemos

(II, XIV): «De conocer Martín la *Odisea,* es posible que hubiese tenido la pretensión de comparar a Linda con la hechicera Circe, y a sí mismo con Ulises; pero como no había leído el poema de Homero, no se le ocurrió tal comparación». Y casi al final, en el momento de morir el héroe, anota el narrador: «A lo lejos, un clarín guerrero hacía temblar el aire de Roncesvalles. Así se habían estremecido aquellos montes con el cuerno de Rolando». Estas referencias hechas como de pasada al poema homérico y a la *Chanson de Roland* ilustran acerca del sesgo heroico que Baroja quiso imprimir a su novela. Claro está que no son los únicos indicios. Fácilmente se reconocen en la historia de Zalacaín estereotipos de la narración popular como los que Propp analizó en su *Morfología del cuento:* el papel del *agresor,* representado aquí por el envidioso Carlos de Ohando; el del *auxiliar,* que recae en Bautista Urbide, primero amigo y luego cuñado de Zalacaín; el de la *princesa,* convertida aquí en Catalina, que, aunque desdibujada en su función, mantiene una de las características del relato popular: el odio del padre —en este caso, el hermano— hacia el héroe que la pretende. Pero, además de estas correspondencias que un análisis detenido podría descubrir, existen muchos otros elementos que aproximan continuamente el personaje de Zalacaín al héroe mítico: la salida del hogar —la función que Propp denomina «ausencia»— como consecuencia de la muerte de la madre; el posible origen noble de Zalacaín, sugerido por el documento antiguo que lee don Fermín Soraberri; la instrucción del futuro héroe a cargo de ese moderno mentor que es el viejo Tellagorri; las primeras «pruebas» del héroe: el triunfo de Zalacaín sobre unos agresivos jabalíes y su victoria en el partido de pelota. No es casual que, después de contar el ataque de los jabalíes, el narrador comente: «Cuando Martín volvió triunfante, muerto de fatiga y con sus dos jabalíes, el pueblo entero le consideró como un héroe». Multitud de detalles diseminados a lo largo de la novela avalan, en efecto, que ZALACAÍN EL AVENTURERO no es sólo una novela de aventuras, sino un relato de naturaleza mítica, cuyo héroe es también uno de los más singulares «hombres de acción» de la literatura barojiana, caracterizado por su vigor, su audacia serena y su perfecto conocimiento de la naturaleza.

Pero Zalacaín es, no se olvide, un héroe moderno y, lo que resulta aún más significativo, un héroe barojiano, no sometido, por consiguiente, a ningún impulso teleológico. El héroe mítico recorre un camino erizado de dificultades con la vista puesta en una finalidad, sea la vuelta al hogar, la obtención de un premio, la victoria sobre el enemigo o el matrimonio con la mujer amada. Zalacaín, en cambio, no busca nada determinado. Se mueve por el mero impulso de la aventura, y su matrimonio no constituye un objetivo, sino un breve paréntesis que ni siquiera logra retenerlo.

Las semanas —o quizá meses— anteriores a la boda, la ceremonia y el primer año de vida matrimonial se cuentan en apenas una página, para proseguir inmediatamente con el relato de la vida andariega de Zalacaín, que continúa como antes. Zalacaín representa la acción por la acción misma. Sus andanzas podrían continuar indefinidamente, y como, por otra parte, no realiza ninguna gesta verdaderamente heroica —la entrada en Laguardia burlando la vigilancia carlista es una hazaña modesta, aunque a Martín y a Bautista se les reciba «como a héroes» (II, XIV)—, el único modo de conferirle la gloria es hacerlo morir joven, abatido a traición, y añadir los epitafios en verso y el homenaje de las tres mujeres que amaron al héroe. Si Martín hubiera proseguido sus correrías, su diseño heroico habría ido desvaneciéndose poco a poco, como les sucede a Shanti Andía y a Chimista, convertidos en simples aventureros. La muerte de Zalacaín era, pues, un hecho obligado, dada la concepción de la novela, imaginada y desarrollada como una epopeya en tono menor.

Porque, en efecto, aunque los personajes parezcan de carne y hueso y no criaturas sobrehumanas, y a pesar de que deambulen por parajes reales, minuciosamente precisados y descritos, épico es el tratamiento de la historia —no sólo por el fondo de la guerra carlista— y épica la estructura narrativa.

Inevitablemente, el afán de verosimilitud obliga a Baroja a modernizar algunos elementos del relato mítico a los que no desea renunciar, pero que hubieran desentonado en una novela moderna exenta de rasgos fantásticos. Así, por ejemplo, la clásica profecía en la que se augura el destino del héroe y que, con diversas variantes —sueños, oráculos, etc.—, ha ofrecido un gran rendimiento en todas las literaturas, es aquí sustituida por el documento del siglo XV cuya copia conserva don Fermín Soraberri, en el que se narran las disputas entre los Ohando y los López de Zalacaín, que concluyen en 1412 con la muerte alevosa de Martín López de Zalacaín a manos de un deudo de los Ohando. La narración, incluida en el marco de una supuesta crónica medieval, desempeña en la novela una función profética —además de sugerir, como ya se ha dicho, el origen noble del héroe—, puesto que el Zalacaín actual morirá de un disparo en la espalda efectuado por un servidor de Carlos Ohando. Por añadidura, el Martín López de Zalacaín de la crónica se había casado con una Ohando, del mismo modo que el aventurero de Urbía se casará con Catalina Ohando.

Obligatoria parece también la matización y acomodación de la distancia épica. Si bien los relatos de esta naturaleza suelen aparecer vagamente situados en un pasado remoto, Baroja tiene que inscribirlos en la segunda guerra carlista —es decir, unos cuarenta años antes de la publicación de la novela—, fiel a su propósito de narrar lo vivido o lo conocido por testimonios directos de quienes participaron en los hechos. Es un plazo de tiempo muy corto que el novelista, de acuerdo con el diseño óptico de la obra, necesita agrandar imaginativamente. Ésta es la función del prólogo, dedicado a describir «cómo era la villa de Urbía en el último tercio del siglo XIX». Todos los elementos tienden a subrayar algo lejano, distante, ruinoso, como si sobre la imaginaria villa hubieran pasado siglos y no unos pocos lustros. Se habla de «garitas desmochadas», de «casas decrépitas, leprosas», de «losas viejas y desgastadas»; se mencionan «algunos viejos de la vecindad», hierros empotrados «que sirvieron para las poternas», fosos cegados, viejos escudos con inscripciones en latín... Vista desde el momento de la narración, la villa está contemplada como residuo de un tiempo antiguo que será, justamente, el tiempo de la historia, la época en la que se sitúen las aventuras de Zalacaín. La función primordial del prólogo consiste, pues, en crear la ilusión de una lejanía temporal acorde con la distancia característica del relato épico. Pero, además, el prólogo aporta informaciones de otra naturaleza, ya que muchos de sus ingredientes sirven como anuncio de hechos que se desarrollarán en la novela. Así, la muralla, las almenas, los antiguos puentes levadizos, la visión de Urbía como «un castillo feudal» y las tapias con cipreses anticipan algunos motivos bélicos de la narración; la insistente mención de la muralla que separa la villa en dos anuncia las contiendas infantiles entre los muchachos de extramuros y los de intramuros —en las que participará el niño Zalacaín—, así como la rivalidad entre Carlos Ohando y Martín Zalacaín, que concluirá de forma trágica. Los elementos catafóricos llegan hasta las primeras líneas del capítulo inicial, en que se describe el caserío en que pasó sus primeros años el futuro aventurero: una «decrépita y pobre casa» en cuya fachada «se adivinaban, más bien que se leían, varias letras que componían una frase latina: *Post funera virtus vivit*». Esta leyenda borrosa, además de constituir una nueva premonición —ya que, en efecto, Zalacaín seguirá vivo en la memoria después de su muerte—, establece la primera de las varias simetrías constructivas de la obra: la mención de la sentencia latina al comienzo del capítulo primero tiene su correlato en los epitafios que cierran la novela y que aseguran la perennidad del héroe; o, como dicen unos versos del epitafio vasco: «Eriotzac hill zuen / Bazan salvatuco».

Otras simetrías se configuran en la narración, a partir de la oposición erigida entre Zalacaín y Carlos Ohando, esto es, entre el héroe y el «agresor», por utilizar el término ya clásico de Propp. Pero, como era lógico suponer, todas ellas están condicionadas por el predominio del héroe, lo que introduce matices diferenciadores. El cortejo y la posterior boda de Zalacaín con la hermana de Carlos Ohando tiene su contraposición en los intentos frustrados de éste por seducir a la hermana de Zalacaín. Al emparejamiento entre Martín y Bautista se opone el más diluido de Carlos Ohando y el *Cacho*. De igual modo, si Carlos no puede enfrentarse directamente con Zalacaín y en el partido de pelota encomienda esta misión al *Cacho,* tampoco logra matar a su futuro cuñado cuando le dispara en la oscuridad, y será el *Cacho* quien al final, a traición, acabe con el joven aventurero.

La disposición de la obra en tres partes claramente marcadas la aproxima, además, a la estructura del *Bildungsroman* o novela de aprendizaje, aunque el camino del héroe quede pronto truncado por la muerte. La materia narrativa se agrupa en tres bloques correspondientes a la infancia, la madurez y las últimas andanzas. El primero concluye con el intento de homicidio de Zalacaín llevado a cabo por Carlos Ohando; el segundo está dedicado a las «andanzas y correrías» de Martín, casi siempre acompañado por Bautista Urbide, y el tercero se inicia con la boda del héroe y concluye con su muerte. El libro central es el más extenso y también el que proporciona los elementos indispensables para justificar la progresiva maduración del personaje, que comienza sirviéndose de la guerra carlista para dedicarse al contrabando y acaba ayudando a las tropas liberales en su lucha contra los partidarios del pretendiente don Carlos. Y si Martín había dicho desdeñosamente al extranjero: «Mi país es el monte» (II, IX), poco antes del final, cuando contempla cómo los comerciantes sin escrúpulos se aprovechan de los carlistas derrotados, «Martín, sintiéndose patriota, habló de la avaricia y de la sordidez de los franceses» (III, V). Sin duda hay una evolución del personaje que no mucho antes, dedicado al comercio y al contrabando, aseguraba preferir la guerra y añadía: «Para mí las ciudades están hechas por miserables y sirven para que las saqueen los hombres fuertes» (II, II). La experiencia de una guerra inútil sembrada de acciones brutales y las conversaciones con el periodista extranjero determinan la palpable evolución ideológica de Martín Zalacaín, del mismo modo que su relación con Rosa Briones y con Linda facilita, por así decirlo, su evolución sentimental en una doble faceta, porque Rosita es el amor tranquilo y sosegado que sólo se insinúa, mientras que Linda representa una relación más turbulenta y física. Todos estos ingredientes se acumulan en la segunda parte y explican por qué, casi al final, Martín confiesa no poseer ya ambición: «Sin duda eran los obstáculos los que me daban bríos y fuerzas [...] Ahora no tengo obstáculo, y ya no sé qué hacer» (III, IV). El libro tercero está lleno de signos premonitorios que anuncian el final del héroe. Lo son estas palabras, pero también la escena en que, iniciada ya la «Deshecha» de las tropas carlistas, vuelve Martín a visitar Urbía, donde «la nieve cubría el campo con su mortaja blanca» (III, II) y halla la casa de Catalina destrozada y el caserío de su infancia sin techo y lleno de escombros. Allí se encuentra de nuevo con el extranjero, que le cuenta los fusilamientos de algunos jefes carlistas y el final de la partida del cura Santa Cruz. «Si esto sigue así no vamos a quedar nadie», comenta Martín. Pero la narración ha diseminado ya suficientes indicios mortuorios para que el lector atento sospeche el próximo fin del arriesgado aventurero.

Todos estos elementos —y muchos otros que aquí no es posible detallar— acreditan el cuidado, tal vez intuitivo, con que está compuesta la novela, a partir de la reconstrucción de lugares recorridos paso a paso por el autor y de tipos y acciones conocidos mediante relatos orales de gentes que vivieron de cerca los hechos que sirven como fondo a las andanzas del impetuoso mozo de Urbía. Curiosamente, es este topónimo —Urbía— el único que no corresponde a la realidad, sino que oculta el nombre de San Juan de Pie de Puerto, pueblo donde Baroja fraguó el escenario de la novela y a cuyas características corresponde la descripción de Urbía. Que el novelista haya escamoteado precisamente el nombre de la villa natal del héroe se explica por el mismo deseo ya comentado de alcanzar un distanciamiento épico: el personaje no puede ser de un lugar conocido y aún existente, muchos de cuyos habitantes recordarían todavía las últimas escaramuzas carlistas y podrían atestiguar la inexistencia de un Martín Zalacaín. En lo demás, en el ambiente y en los personajes —entre ellos algunos históricos con sus nombres, como los que componen la partida del cura Santa Cruz—, la novela es fiel a una época artísticamente reelaborada a base de urdir relatos y noticias procedentes, en su mayor parte, de fuentes orales, lo que tampoco parece muy alejado de los procedimientos de la composición épica. Con razón observaba el crítico Eduardo Gómez de Baquero («Andrenio») al repasar la obra barojiana en 1918 que ZALACAÍN «da la sensación de lo visto, de lo vivido, contado rápidamente con rasgos expresivos y seguros, como narra un testigo presencial». Ochenta años después de haber sido escrita, la obra conserva la misma vivacidad e inmediatez, idéntica frescura narrativa, y perdura por derecho propio como una de las mejores muestras del arte de Baroja.

RICARDO SENABRE

BIBLIOGRAFÍA ESENCIAL

BIOGRAFÍAS Y ESTUDIOS DE CONJUNTO

ARBÓ, Sebastián Juan, *Pío Baroja y su tiempo,* 2.ª ed., Barcelona, Planeta, 1969.

BAROJA, Pío, *Desde la última vuelta del camino. Memorias,* Madrid, Biblioteca Nueva, 7 vols., 1944-1949 (incluido en *Obras Completas,* VII, Madrid, Biblioteca Nueva, 1949, págs. 887-1364).

CARO BAROJA, Julio, *Los Baroja. Memorias familiares,* Madrid, Taurus, 1972.

CIPLIJAUSKAITÉ, Biruté, *Baroja, un estilo,* Madrid, Ínsula, 1972.

GRANIEL, Luis S., *Retrato de Pío Baroja,* Barcelona, Barna, 1953.

NALLIM, Carlos O., *El problema de la novela en Pío Baroja,* México, Ediciones Ateneo, 1964.

PÉREZ FERRERO, Miguel, *Pío Baroja en su rincón,* Santiago de Chile, Ercilla, 1940.

URIBE-ECHEVARRÍA, Juan, *Pío Baroja: técnica, estilo, personajes,* Santiago de Chile, Ediciones de los Anales de la Universidad de Chile, 1957.

RECOPILACIONES CRÍTICAS. LIBROS

Baroja y su mundo, recopilado por F. Baeza, Madrid, Arión, 1962, 2 vols. más apéndices.

Baroja en el banquillo, recopilado por J. García Mercadal, Zaragoza, Librería General, s. a., 2 vols.
Barojiana, Madrid, Taurus.
Encuentros con don Pío. Homenaje a Baroja, Madrid, Al Borak, 1972.
Pío Baroja, ed. J. Martínez Palacio, Madrid, Taurus (serie «El escritor y la crítica»),1974.

RECOPILACIONES CRÍTICAS. REVISTAS

Cuadernos Hispanoamericanos, núms. 265-267, 1972.
Índice de Artes y Letras, núms. 70-71, 1954.
Ínsula, núms. 308-309, 1972.
La Estafeta Literaria, núm. 68, 1956.
Revista de Occidente, 2.ª época, núm. 62, 1968.

SOBRE *ZALACAÍN EL AVENTURERO*

ADRADOS, Francisco R., «El *Zalacaín* de Baroja y el canto VI de la *Ilíada»,* en *Revista de Occidente,* III, núm. 23, febrero 1965, págs. 202-208.
BRODY, L., «Zalacaïn l'Aventurier, par Pío Baroja», en *L'Atelier* (París), septiembre 1943.
COGNIAT, R., «Zalacaïn l'Aventurier», *Chanteclair* (París), febrero 1927.
EMBEITA, M., «Tragedia y mito en una novela de Baroja», en *Ínsula,* núms. 308-309, julio-agosto 1972, pág. 15.
FEAL DEIBE, C., *«Zalacaín el aventurero* y las tres mujeres de Pío Baroja», en *Revista Hispánica Moderna,* XXXIII, 1967, págs. 285-298.
PETIT, M. C., *«Zalacaín el Aventurero:* estructura, simbólica y temática», en *Kentucky Romance Quarterly* (Lexington), XIV, 1967, págs. 239-264 (recogido en *Pío Baroja,* ed. J. Martínez Palacio, págs. 355-386).
TENREIRO, R. M., *«Zalacaín el aventurero»,* en *La Lectura,* X, 1910, págs. 329-331.

ESTA EDICIÓN

La presente edición reproduce la 4.ª de ZALACAÍN EL AVEN-
TURERO (Madrid, Caro Raggio, 1920), sin duda la más cui-
dada de las impresas en vida del autor. El propio Baroja tuvo
ocasión de revisar el texto minuciosamente, lo que le permitió
corregir algún desliz de la edición príncipe. Las referencias
a otros textos se indican en cada caso. Las iniciales *O. C.*
corresponden, naturalmente, a los volúmenes de *Obras Completas* del autor (Madrid, Biblioteca Nueva, 1946-1951, 8 vols.).

ZALACAÍN
EL AVENTURERO

PRÓLOGO

CÓMO ERA LA VILLA DE URBÍA EN EL ÚLTIMO TER-
CIO DEL SIGLO XIX

Una muralla de piedra, negruzca y alta, rodea a Urbía. Esta muralla sigue a lo largo del camino real, limita el pueblo por el norte, y al llegar al río se tuerce, tropieza con la iglesia, a la que coge, dejando parte del ábside fuera de su recinto, y después escala una altura y envuelve la ciudad por el sur.

Hay todavía, en los fosos, terrenos encharcados con hierbajos y espadañas, poternas llenas de hierros, garitas desmochadas, escalerillas musgosas, y alrededor, en los glacis[1], altas y románticas arboledas, malezas y boscajes, y verdes praderas salpicadas de florecillas. Cerca, en la aguda colina a cuyo pie se asienta el pueblo, un castillo sombrío se oculta entre gigantescos olmos.

Desde el camino real, Urbía aparece como una agrupación de casas decrépitas, leprosas, inclinadas, con balcones corridos de madera y miradores que asoman por encima de la negra pared de piedra que las circunda.

Tiene Urbía una barriada vieja y otra nueva[2]. La barriada vieja, la *calle,* como se le llama por antonomasia en vas-

---

[1] *Glacis:* declive desde el camino cubierto hasta la campaña (*DRAE*).

[2] Puede compararse esta descripción con las impresiones de San Juan de Pie de Puerto evocadas en la recopilación *El País Vasco,* Barcelona, Destino, 1953, pág. 450: «Tiene una parte de ciudad vieja, rodeada de murallas, con

cuence, está formada principalmente por dos callejuelas estrechas, sinuosas y en cuesta que se unen en la plaza.

El pueblo viejo, desde la carretera, traza una línea quebrada de tejados torcidos y mugrientos que va descendiendo desde el castillo hasta el río. Las casas, encaramadas en la cintura de piedra de la ciudad[3], parece a primera vista que se encuentran en una posición estrecha e incómoda; pero no es así, sino todo lo contrario, porque entre el pie de las casas y los muros fortificados existe un gran espacio ocupado por una serie de magníficas huertas. Tales huertas, protegidas de los vientos fríos, son excelentes. En ellas se pueden cultivar plantas de zona cálida, como naranjos y limoneros.

La muralla, por la parte interior, que da a las huertas, tiene un camino formado por grandes losas, especie de acera de un metro de ancho con su barandado de hierro.

En los intersticios de estas losas viejas y desgastadas por las lluvias crecen la venenosa cicuta y el beleño; junto a las paredes brillan, en la primavera, las flores amarillentas del diente del león y del verbasco, los gladiolos de hermoso color carmesí y las digitales purpúreas. Otros muchos hierbajos, mezclados con ortigas y amapolas, se extienden por la muralla y adornan con su verdura y con sus constelaciones de flores pequeñas y simples las almenas, las aspilleras y los matacanes.

---

calles pequeñas, y otra parte de ciudad nueva, próxima al río Nive [...] Por la plaza del Mercado, situada fuera de las murallas del siglo XV que ciñeron la ciudad vieja, se cruza el Nive por un puente [...] La calle de la izquierda conduce a la parte amurallada, la más antigua, la más concurrida, con casas pequeñas [...] En el pueblo antiguo se encuentra la iglesia, y hay cerca un gran paseo con hermosos árboles [...] San Juan de Pie de Puerto tiene una antigua entrada en arco de piedra empotrada entre casas».

[3]   La metáfora de la «cintura de piedra» para designar la muralla de Urbía podría muy bien proceder de Galdós, que narra en *De Oñate a La Granja* la llegada a Laguardia del siguiente modo (cap. XXXI): «Vio Fernando una ciudad medieval, en lo alto de una escueta colina elíptica, rodeada de almenados muros con gallardos torreones. De entre aquella cintura de piedra se destacaba el caserío en agrupación cónica, con el remate de un castillo...».

Durante el invierno, en las horas de sol, algunos viejos de la vecindad, con traje de casa y zapatillas, pasean por la cornisa, y al llegar marzo o abril contemplan los progresos de los hermosos perales y melocotoneros de las huertas.

Observan también, disimuladamente, por las aspilleras, si viene algún coche o carro al pueblo, si hay novedades en las casas de la barriada nueva, no sin cierta hostilidad, porque todos los habitantes del interior sienten una oscura y mal explicada antipatía por sus convecinos de extramuros.

La cintura de piedra del pueblo viejo se abre en unos sitios por puertas ojivales; en otros se rompe irregularmente, dejando un boquete que por días se ve agrandarse.

En algunas de las puertas, debajo de la ojiva primitiva, se hizo posteriormente, no se sabe con qué objeto, un arco de medio punto.

En las piedras de las jambas quedan empotrados hierros que sirvieron para las poternas. Los puentes levadizos están sustituidos por montones de tierra que rellenan el foso hasta la necesaria altura.

Urbía ofrece aspectos varios, según el sitio de donde se le contemple; desde lejos y viniendo desde la carretera, sobre todo al anochecer, tiene la apariencia de un castillo feudal: la ciudadela, sombría, envuelta entre grandes árboles, prolongada después por el pueblo con sus muros fortificados, que chorrean agua, presenta un aspecto grave y guerrero; en cambio, desde el puente y un día de sol, Urbía no da ninguna impresión fosca; por el contrario, parece una diminuta Florencia, asentada en las orillas de un riachuelo claro, pedregoso, murmurador y de rápida corriente [4].

---

[4]   Según Baroja *(O. C.,* VII, pág. 441, y VIII, pág. 703), su primer viaje a Italia se efectuó después de haber publicado *Zalacaín,* lo que haría incongruente la comparación entre Urbía y Florencia. Pero Baroja es muy inseguro en sus Memorias con respecto a las fechas. Había estado ya en Florencia en 1907. Y en el libro *Ciudades de Italia* (1949) todavía recuerda de la capital toscana un arco tras el cual «se encuentra uno al pie de una colina a cuya cumbre suben avenidas en espiral, y en línea recta una escalera, larga,

Las dos filas de casas bañadas por el río son casas viejas con galerías y miradores negruzcos, en los cuales cuelgan ropas puestas a secar, ristras de ajos y de pimientos. Estas galerías tienen en un extremo una polea y un cubo para subir agua. Al finalizar las casas, siguiendo las orillas del río, hay algunos huertos, por cuyas tapias verdosas surgen cipreses altos, delgados y espirituales, lo que da a este rincón un mayor aspecto florentino.

Urbía intramuros se acaba pronto; fuera de las dos calles largas, sólo tiene callejones húmedos y estrechos, y la plaza. Ésta es una encrucijada lóbrega, constituida por una pared de la iglesia, con varias rejas tapiadas, por la Casa del Ayuntamiento, con sus balcones volados y su gran portón coronado por el escudo de la villa, y por un caserón enorme, en cuyo bajo se halla instalado el almacén de Azpillaga.

El almacén de Azpillaga, donde se encuentra de todo, debe dar a los aldeanos la impresión de una caja de Pandora, de un mundo inexplorado y lleno de maravillas. A la puerta de casa de Azpillaga, colgando de las negras paredes, suelen verse chisteras [5] para jugar a la pelota, albardas, jáquimas, monturas de estilo andaluz, y en las ventanas, que hacen de escaparate, frascos con caramelos de color, aparejos complicados de pesca, con su corcho rojo y sus cañas, redes sujetas a un mango, marcos de hojalata, santos de yeso y de latón y estampas viejas, sucias por las moscas.

En el interior hay ropas, mantas, lanas, jamón, botellas de *chartreuse* falsificado, loza fina... El Museo Británico no es nada, en variedad, al lado de este almacén.

A la puerta suele pasearse Azpillaga, grueso, majestuoso, con su aire clerical, unas mangas azules [6] y su boina. Las dos

---

derecha, que tiene a su lado una fila de altos y oscuros cipreses, que avanza trepando por el montecillo» *(O. C.,* VIII, pág. 705). Adviértanse los cipreses que se mencionan poco después en el texto y que confieren al lugar «aspecto florentino».

[5]   *Chistera:* pala cóncava que, sujeta a la mano, sirve para jugar a la pelota.

[6]   Mangas superpuestas, como las que utilizaban ciertos empleados para proteger la ropa.

calles principales de Urbía son estrechas, tortuosas y en cuesta. La mayoría de los vecinos de esas dos calles son labradores, alpargateros y carpinteros de carros. Los labradores, por la mañana, salen al campo con sus yuntas. Al despertar el pueblo, al amanecer, se oyen los mugidos de los bueyes; luego, los alpargateros sacan su banco a la acera, y los carpinteros trabajan en medio de la calle en compañía de los chiquillos, de las gallinas y de los perros.

Algunas de las casas de las dos calles principales muestran su escudo; otras, sentencias escritas en latín, y la generalidad, un número, la fecha en que se hicieron y el nombre del matrimonio que las mandó construir...

Hoy el pueblo lo forma casi exclusivamente la parte nueva, limpia, coquetona, un poco presuntuosa. En verano cruzan la carretera un sinfín de automóviles, y casi todos se paran un momento en la casa de Ohando, convertida en Gran Hotel de Urbía. Algunas señoritas, apasionadas por lo pintoresco, mientras el grueso papá escribe postales en el hotel, suben las escaleras del portal de la Antigua, recorren las dos calles principales de la ciudad y sacan fotografías de los rincones que les parecen románticos y de los grupos de alpargateros que se dejan retratar, sonriendo burlonamente.

Hace cuarenta años la vida en Urbía era pacífica y sencilla; los domingos había el acontecimiento de la misa mayor, y por la tarde, el acontecimiento de las vísperas. Después, en un prado anejo a la ciudadela, y del cual se había apoderado la villa, iba el tamborilero, y la gente bailaba alegremente al son del pito y del tamboril, hasta que el toque del *Ángelus* terminaba con la zambra, y los campesinos volvían a sus casas después de hacer una estación en la taberna.

LIBRO PRIMERO

LA INFANCIA DE ZALACAÍN

CAPÍTULO I

CÓMO VIVIÓ Y SE EDUCÓ MARTÍN ZALACAÍN

Un camino en cuesta baja de la ciudadela, pasa por encima del cementerio y atraviesa el portal de Francia. Este camino, en la parte alta, tiene a los lados varias cruces de piedra, que terminan en una ermita, y por la parte baja, después de entrar en la ciudad, se convierte en calle. A la izquierda del camino, antes de la muralla, había hace años un caserío viejo, medio derruido, con el tejado terrero lleno de pedruscos y la piedra arenisca de sus paredes desgastada por la acción de la humedad y del aire. En el frente de la decrépita y pobre casa, un agujero indicaba dónde estuvo en otro tiempo el escudo, y debajo de él se adivinaban, más bien que se leían, varias letras que componían una frase latina: *Post funera virtus vivit* [7].

En este caserío nació y pasó los primeros años de su infancia Martín Zalacaín de Urbía, el que, más tarde, había de ser llamado Zalacaín el Aventurero; en este caserío soñó sus primeras aventuras y rompió los primeros pantalones.

Los Zalacaín vivían a pocos pasos de Urbía; pero ni Martín ni su familia eran ciudadanos: faltaban a su casa unos metros para formar parte de la villa.

---

[7] Después de la muerte pervive la fama.

El padre de Martín fue labrador, un hombre oscuro y poco comunicativo, muerto en una epidemia de viruelas; la madre de Martín tampoco era mujer de carácter; vivió en esa oscuridad psicológica normal entre la gente del campo, y pasó de soltera a casada, y de casada a viuda, con absoluta inconsciencia. Al morir su marido quedó con dos hijos, Martín y una niña menor llamada Ignacia.

El caserío donde habitaban los Zalacaín pertenecía a la familia de Ohando, familia la más antigua, aristocrática y rica de Urbía.

Vivía la madre de Martín casi de la misericordia de los Ohandos.

En tales condiciones de pobreza y de miseria, parecía lógico que, por herencia y por la acción del ambiente, Martín fuese como su padre y su madre: oscuro, tímido y apocado; pero el muchacho resultó decidido, temerario y audaz.

En esta época, los chicos no iban tanto a la escuela como ahora, y Martín pasó mucho tiempo sin sentarse en sus bancos. No sabía de ella más sino que era un sitio oscuro, con unos cartelones blancos en las paredes, lo cual no le animaba a entrar. Le alejaba también de aquel modesto centro de enseñanza el ver que los chicos de la calle no le consideraban como uno de los suyos, a causa de vivir fuera del pueblo y de andar siempre hecho un andrajoso.

Por este motivo les tenía algún odio; así que cuando algunos chiquillos de los caseríos de extramuros entraban en la calle y comenzaban a pedradas con los ciudadanos, Martín era de los más encarnizados en el combate; capitaneaba las hordas bárbaras [8], las dirigía y hasta las dominaba.

Tenía entre los demás chicos el ascendiente de su audacia y de su temeridad. No había rincón del pueblo que Martín no conociera. Para él, Urbía era la reunión de todas las bellezas, el compendio de todos los intereses y magnificencias.

---

[8]   *Bárbaras* en el doble sentido de «salvajes» y «extranjeras» (por tratarse de muchachos procedentes de los caseríos de extramuros).

Nadie se ocupaba de él, no compartía con los demás chicos la escuela y huroneaba por todas partes. Su abandono le obligaba a formarse sus ideas espontáneamente y a templar la osadía con la prudencia.

Mientras los niños de su edad aprendían a leer, él daba la vuelta a la muralla, sin que le asustasen las piedras derrumbadas, ni las zarzas que cerraban el paso.

Sabía dónde había palomas torcaces, e intentaba coger sus nidos, robaba fruta y cogía moras y fresas silvestres.

A los ocho años, Martín gozaba de una mala fama digna ya de un hombre. Un día, al salir de la escuela, Carlos Ohando, el hijo de la familia rica que dejaba por limosna el caserío a la madre de Martín, señalándole con el dedo, gritó:

—¡Ése! Ése es un ladrón.

—¡Yo! —exclamó Martín.

—Tú, sí. El otro día te vi que estabas robando peras en mi casa. Toda tu familia es de ladrones.

Martín, aunque respecto a él no podía negar la exactitud del cargo, creyó que no debía[9] permitir este ultraje dirigido a los Zalacaín, y, abalanzándose sobre el joven Ohando, le dio una bofetada morrocotuda. Ohando contestó con un puñetazo; se agarraron los dos y cayeron al suelo; se dieron de trompicones; pero Martín, más fuerte, tumbaba siempre al contrario. Un alpargatero tuvo que intervenir en la contienda, y a puntapiés y a empujones separó a los dos adversarios. Martín se separó triunfante, y el joven Ohando, magullado y maltrecho, se fue a su casa.

La madre de Martín, al saber el suceso, quiso obligar a su hijo a presentarse en casa de Ohando y a pedir perdón a Carlos; pero Martín afirmó que antes lo matarían. Ella tuvo que

---

[9] Las ediciones registran «creyó no debía», lo que está en contradicción con los usos sintácticos barojianos. Cfr. *O. C.,* V, pág. 1065: «Otra preocupación actual de los escritores venida de Francia es la de suprimir el *que.* El *que,* en el castellano como en todos los idiomas latinos, es algo biológico. Desterrarlo es artificioso».

encargarse de dar toda clase de excusas y explicaciones a la poderosa familia.

Desde entonces, la madre miraba a su hijo como a un réprobo.

—¡De dónde ha salido este chico así! —decía; y experimentaba al pensar en él un sentimiento confuso de amor y de pena sólo comparable con el asombro y la desesperación de la gallina cuando empolla huevos de pato y ve que sus hijos se zambullen en el agua sin miedo y van nadando valientemente.

CAPÍTULO II

DONDE SE HABLA DEL VIEJO CÍNICO MIGUEL DE TELLAGORRI

Algunas veces, cuando su madre enviaba por vino o por sidra a la taberna de Arcale a su hijo Martín, le solía decir:

—Y si te encuentras al viejo Tellagorri, no le hables, y si te dice algo, respóndele a todo que no.

Tellagorri, tío-abuelo de Martín, hermano de la madre de su padre, era un hombre flaco, de nariz enorme y ganchuda, pelo gris, ojos grises, y la pipa de barro siempre en la boca. Punto fuerte en la taberna de Arcale, tenía allí su centro de operaciones, allí peroraba, discutía y mantenía vivo el odio latente que hay entre los campesinos por el propietario.

Vivía el viejo Tellagorri de una porción de pequeños recursos que él se agenciaba, y tenía mala fama entre las personas pudientes del pueblo. Era, en el fondo, un hombre de rapiña, alegre y jovial, buen bebedor, buen amigo, y en el interior de su alma bastante violento para pegarle un tiro a uno o para incendiar el pueblo entero.

La madre de Martín presintió que, dado el carácter de su hijo, terminaría haciéndose amigo de Tellagorri, a quien ella consideraba como un hombre siniestro. Efectivamente, así fue; el mismo día en que el viejo supo la paliza que su sobrino había adjudicado al joven Ohando, le tomó bajo su protección y comenzó a iniciarle en su vida.

El mismo señalado día en que Martín disfrutó de la amistad de Tellagorri, obtuvo también la benevolencia de *Marqués.* *Marqués* [10] era el perro de Tellagorri, un perro chiquito, feo, contagiado hasta tal punto con las ideas, preocupaciones y mañas de su amo, que era como él: ladrón, astuto, vagabundo, viejo, cínico, insociable e independiente. Además, participaba del odio de Tellagorri por los ricos, cosa rara en un perro. Si *Marqués* entraba alguna vez en la iglesia, era para ver si los chicos habían dejado en el suelo de los bancos donde se sentaban algún mendrugo de pan, no por otra cosa. No tenía veleidades místicas. A pesar de su título aristocrático, *Marqués* no simpatizaba ni con el clero ni con la nobleza. Tellagorri le llamaba siempre *Marquesch,* alteración que en vasco parece más cariñosa.

Tellagorri poseía un huertecillo que no valía nada, según los inteligentes, en el extremo opuesto de su casa, y para ir a él le era indispensable recorrer todo el balcón de la muralla. Muchas veces le propusieron comprarle el huerto, pero él decía que le venía de familia y que los higos de sus higueras eran tan excelentes, que por nada del mundo vendería aquel pedazo de tierra.

Todo el mundo creía que conservaba el huertecillo para tener derecho de pasar por la muralla y robar, y esta opinión no se hallaba, ni mucho menos, alejada de la realidad.

Tellagorri era de la familia de los Galchagorris, la familia de los pantalones colorados, y este consonante, entre el mote de la familia y su nombre, había servido al padre de la sacristana, viejo chusco que odiaba a Tellagorri, de motivo a una canción que hasta los chicos la sabían y que mortificaba profundamente a Tellagorri.

La canción decía así:

---

[10]   En la casa donde Baroja se hospedó durante su estancia como médico en Cestona, la patrona tenía un perro con ese nombre: «Dolores *la Sacristana* tenía un perro que se llamaba *Marquesh.* Era un perrito de esos *fox-terrier,* blanco, con la cola cortada», recuerda el escritor *(O. C.,* VII, pág. 615).

Tellagorri
Galchagorri
Ongui etorri
Onera.
Ostutzale
Erantzale
Nescatzale
Zu cera.

(Tellagorri, Galchagorri, bien venido seas aquí. Aficionado a
robar, aficionado a beber, aficionado a las muchachas, eres tú).

Tellagorri, al oír la canción, fruncía el entrecejo y se ponía
serio.

Tellagorri era un individualista convencido; tenía el in-
dividualismo del vasco reforzado y calafateado por el indivi-
dualismo de los Tellagorri.

—Cada cual que conserve lo que tenga y que robe lo que
pueda —decía.

Ésta era la más social de sus teorías; las más insociables se
las callaba.

Tellagorri no necesitaba de nadie para vivir. Él se hacía la
ropa; él se afeitaba y se cortaba el pelo, se fabricaba las abarcas, y no necesitaba de nadie, ni de mujer ni de hombre. Así,
al menos, lo aseguraba él.

Tellagorri, cuando le tomó por su cuenta a Martín, le enseñó
toda su ciencia. Le explicó la manera de acogotar una gallina
sin que alborotase; le mostró la manera de coger los higos y
las ciruelas de las huertas, sin peligro de ser visto, y le enseñó
a conocer las setas buenas de las venenosas por el color de la
hierba en donde se crían.

Esta cosecha de setas y la caza de caracoles constituía un
ingreso para Tellagorri; pero el mayor era otro.

Había en la Ciudadela, en uno de los lienzos de la muralla,
un rellano formado por tierra, al cual parecía tan imposible
llegar subiendo como bajando. Sin embargo, Tellagorri dio

con la vereda para escalar aquel rincón, y en este sitio recóndito y soleado puso una verdadera plantación de tabaco, cuyas hojas secas vendía al tabernero Arcale.

El camino que llevaba a la plantación de tabaco del viejo partía de una heredad de los Ohandos y pasaba por un foso de la Ciudadela. Abriendo una puerta vieja y carcomida que había en este foso, por unos escalones cubiertos de musgo, se llegaba al rincón de Tellagorri.

Este camino subía apoyándose en las gruesas raíces de los árboles, constituyendo una escalera de desiguales tramos, metida en un túnel de ramaje.

En verano, las hojas lo cubrían por completo. En los días calurosos de agosto se podía dormir allí a la sombra, arrullado por el piar de los pájaros y el rezongar de los moscones.

El foso era lugar también interesante para Martín; las paredes estaban cubiertas de musgos rojos, amarillos y verdes; entre las piedras nacían la lechetrezna, el beleño y el yezgo, y los grandes lagartos tornasolados se tostaban al sol. En los huecos de la muralla tenían sus nidos las lechuzas y los mochuelos.

Tellagorri explicaba todo detenidamente a Martín.

Tellagorri era un sabio; nadie conocía la comarca como él; nadie dominaba la geografía del río Ibaya, la fauna y la flora de sus orillas y de sus aguas como este viejo cínico.

Guardaba, en los agujeros del puente romano, su aparejo y su red para cuando la veda[11]; sabía pescar al martillo, procedimiento que se reduce a golpear algunas losas del fondo del río y luego a levantarlas, con lo que quedan las truchas que han estado debajo inmóviles y aletargadas.

Sabía cazar los peces a tiros; ponía lazos a las nutrias en la cueva de Amaviturrieta, que se hunde en el suelo y está a medias llena de agua; echaba las redes en Ocin beltz, el agujero negro en donde el río se embalsa; pero no empleaba nunca la

---

[11] Construcción coloquial, con elipsis del verbo (en este caso, *llegase)*.

dinamita, porque, aunque vagamente, Tellagorri amaba la Naturaleza y no quería empobrecerla.

Le gustaba también a este viejo embromar a la gente: decía que nada gustaba tanto a las nutrias como un periódico con buenas noticias, y aseguraba que si se dejaba un papel a la orilla del río, estos animales salen a leerlo; contaba historias extraordinarias de la inteligencia de los salmones y de otros peces. Para Tellagorri, los perros, si no hablaban, era porque no querían, pero él los consideraba con tanta inteligencia como una persona. Este entusiasmo por los canes le había impulsado a pronunciar esta frase irrespetuosa:

«—Yo le [12] saludo con más respeto a un perro de aguas que al señor párroco».

La tal frase escandalizó al pueblo.

Había gente que comenzaba a creer que Tellagorri y Voltaire eran los causantes de la impiedad moderna.

Cuando no tenían el viejo y el chico nada que hacer, iban de caza con *Marquesch* al monte. Arcale le prestaba a Tellagorri su escopeta. Tellagorri, sin motivo conocido, comenzaba a insultar a su perro. Para esto siempre tenía que emplear el castellano.

—¡Canalla! ¡Granuja! —le decía—. ¡Viejo cochino! ¡Cobarde!

Marqués contestaba a los insultos con un ladrido suave, que parecía una quejumbrosa protesta, movía la cola como un péndulo y se ponía a andar en zigzag, olfateando por todas partes. De pronto veía que algunas hierbas se movían y se lanzaba a ellas como una flecha.

Martín se divertía muchísimo con estos espectáculos. Tellagorri lo tenía como acompañante para todo, menos para ir a la taberna: allí no le quería a Martín. Al anochecer solía decirle, cuando él iba a perorar al parlamento de casa de Arcale:

---

[12]   Este *le* redundante es característico de hablantes vascos y frecuente también en la sintaxis barojiana.

—Anda, vete a mi huerta y coge unas peras de allí, del rincón, y llévatelas a casa. Mañana me darás la llave.

Y le entregaba un pedazo de hierro que pesaba media tonelada, por lo menos.

Martín recorría el balcón de la muralla. Así sabía que en casa de Tal habían plantado alcachofas, y en la de Cual, judías. El ver las huertas y las casas ajenas desde lo alto de la muralla, y el contemplar los trabajos de los demás, iba dando a Martín cierta inclinación a la filosofía y al robo.

Como en el fondo el joven Zalacaín era agradecido y de buena pasta, sentía por su viejo mentor un gran entusiasmo y un gran respeto. Tellagorri lo sabía, aunque daba a entender que lo ignoraba; pero, en buena reciprocidad, todo lo que comprendía que le gustaba al muchacho o servía para su educación, lo hacía, si estaba en su mano.

¡Y qué rincones conocía Tellagorri! Como buen vagabundo era aficionado a la contemplación de la Naturaleza. El viejo y el muchacho subían a las alturas de la Ciudadela, y allá, tendidos sobre la hierba y las aliagas, contemplaban el extenso paisaje. Sobre todo, las tardes de primavera era una maravilla. El río Ibaya, limpio, claro, cruzaba el valle por entre heredades verdes, por entre filas de álamos altísimos, ensanchándose y saltando sobre las piedras, estrechándose después, convirtiéndose en cascada de perlas al caer por la presa del molino. Cerraban el horizonte montes ceñudos, y en los huertos se veían arboledas y bosquecillos de frutales.

El sol daba en los grandes olmos de follaje espeso de la Ciudadela, y los enrojecía y los coloreaba con un tono de cobre.

Bajando desde lo alto, por senderos de cabras, se llegaba a un camino que corría junto a las aguas claras del Ibaya. Cerca del pueblo, algunos pescadores de caña se pasaban la tarde sentados en la orilla, y las lavanderas, con las piernas desnudas metidas en el río, sacudían las ropas y cantaban.

Tellagorri conocía de lejos a los pescadores: Allí están Tal y Cual —decía—. Seguramente, no han pescado nada. No se reunía con ellos; él sabía un rincón perfumado por las flores de las acacias y de los espinos que caía sobre un sitio en donde el río estaba en sombra y a donde afluían los peces.

Tellagorri le curtía a Martín, le hacía andar, correr, subirse a los árboles, meterse en los agujeros como un hurón, le educaba a su manera, por el sistema pedagógico de los Tellagorris, que se parecía bastante al salvajismo.

Mientras los demás chicos estudiaban la doctrina y el Catón, él contemplaba los espectáculos de la Naturaleza, entraba en la cueva de Erroitza, en donde hay salones inmensos llenos de grandes murciélagos que se cuelgan de las paredes por las uñas de sus alas membranosas; se bañaba en Ocin beltz [13], a pesar de que todo el pueblo consideraba este remanso peligrosísimo; cazaba y daba grandes viajatas [14].

Tellagorri hacía que su nieto entrara en el río cuando llevaban a bañar los caballos de la diligencia, montado en uno de ellos.

—¡Más adentro! ¡Más cerca de la presa, Martín! —le decía.

Y Martín, riendo, llevaba los caballos hasta la misma presa.

Algunas noches, Tellagorri le llevó a Zalacaín al cementerio.

—Espérame aquí un momento —le dijo.

—Bueno.

Al cabo de media hora, al volver por allí, le preguntó:

—¿Has tenido miedo, Martín?

—¿Miedo, de qué?

—¡Arrayua! [15]. Así hay que ser —decía Tellagorri—. Hay que estar firmes, siempre firmes.

---

[13]   Comp. *O. C.*, VII, pág. 618: «En las afueras de Cestona, en un barranco por donde pasa el río Urola, barranco que en vascuence se llama *Ocin beltz* (agujero o sima negra), había una cantera...».

[14]   Comp. *Camino de perfección*, X: «La viajata empezaba a parecerle odiosa a Fernando».

[15]   Interjección vasca, equivalente a *¡rayos!* (propiamente, ¡bravo!).

CAPÍTULO III

LA REUNIÓN DE LA POSADA DE ARCALE

La posada de Arcale estaba en la calle del Castillo y hacía esquina al callejón Oquerra. Del callejón se salía al portal de la Antigua, hendidura estrecha y lóbrega de la muralla que bajaba por una rampa en zigzag al camino real. La casa de Arcale era un caserón de piedra hasta el primer piso, y lo demás de ladrillo, que dejaba ver sus vigas cruzadas y ennegrecidas por la humedad. Era, al mismo tiempo, posada y taberna con honores de club, pues allí por la noche se reunían varios vecinos de la *calle* y algunos campesinos a hablar y a discutir, y los domingos a emborracharse. El zaguán, negro, tenía un mostrador y un armario repleto de vinos y licores; a un lado estaba la taberna, con mesas de pino largas que podían levantarse y sujetarse a la pared, y en el fondo, la cocina. Arcale era un hombre grueso y activo, ex cosechero, ex tratante de caballos y contrabandista. Tenía cuentas complicadas con todo el mundo, administraba las diligencias, chalaneaba, gitaneaba, y los días de fiesta añadía a sus oficios el de cocinero. Siempre estaba yendo y viniendo, hablando, gritando, riñendo a su mujer y a su hermano, a los criados y a los pobres: no paraba nunca de hacer algo.

La tertulia de la noche en la taberna de Arcale la sostenían Tellagorri y Pichía [16]. Pichía, digno compinche de Tellagorri,

---

[16]   Pichía es un tipo inspirado por una figura real que Baroja conoció en Cestona: «El juez era un tipo curioso, un tal Iceta, apodado Pichía (el Ele-

le servía de contraste. Tellagorri era flaco; Pichía, gordo; Tellagorri vestía de oscuro; Pichía, quizá para poner más en evidencia su volumen, de claro; Tellagorri pasaba por pobre; Pichía era rico; Tellagorri era liberal; Pichía, carlista; Tellagorri no pisaba la iglesia; Pichía estaba siempre en ella; pero, a pesar de tantas divergencias, Tellagorri y Pichía se sentían almas gemelas que fraternizaban ante un vaso de buen vino [17].

Tenían estos dos oradores de la taberna de Arcale, hablando en castellano, un carácter común, y era que invariablemente trabucaban las efes y las pes [18]. No había medio de que las pronunciaran a derechas.

—¿Qué te *farece* a ti el médico nuevo? —le preguntaba Pichía a Tellagorri.

—¡Psch! —contestaba el otro—. La *frática* es lo que le *palta* [19].

—Pues es hombre listo, hombre de alguna *portuna;* tiene su *fiano* en casa.

No había manera de que uno u otro pronunciaran estas letras bien.

Tellagorri se sentía poco aficionado a las cosas de iglesia, tenía poca *apición,* como hubiera dicho él, y cuando bebía dos copas de más, la primera gente de quien empezaba a hablar mal era de los curas. Pichía parecía natural que se indignara, y no sólo no se indignaba como cerero [20] y religioso, sino que

---

gante) [...] Era hombre [...] de cuerpo voluminoso, siempre vestido con trajes de franela blanca [..] Había sido carlista, luego liberal...» *(O. C.,* VII, pág. 623).

[17] Recuerdo indudable de la fórmula conocida de Berceo *(Vida de Santo Domingo de Silos, 2 d):* «bien valdrá, como creo, un vaso de bon vino».

[18] El vascuence es refractario a la *f* inicial, y en las adopciones lingüísticas suele asimilarla a *p.*

[19] Nuevo recuerdo de la etapa vivida en Cestona: «No tenía mala fama como médico. Mi antiguo patrón, Vishente, el marido de Dolores *la Sacristana,* decía de mí: —Sí, ya sabe; pero la *frática* es lo que le *palta»* (O. C., VII, pág. 624).

[20] *Cerero:* beato.

azuzaba a su amigo para que dijera cosas más fuertes contra el vicario, los coadjutores, el sacristán o la cerora.

Sin embargo, Tellagorri respetaba al vicario de Arbea, a quien los clericales acusaban de liberal y de loco. El tal vicario tenía la costumbre de coger su sueldo, cambiarlo en plata y dejarlo encima de la mesa formando un montón, no muy grande, porque el sueldo no era mucho, de duros y de pesetas. Luego, a todo el que iba a pedirle algo, después de reñirle rudamente y de reprocharle sus vicios y de insultarle a veces, le daba lo que le parecía, hasta que a mediados del mes se le acababa el montón de pesetas, y entonces daba maíz o habichuelas, siempre refunfuñando e insultando.

Tellagorri decía:

—Ésos son curas, no como los de aquí, que no quieren más que vivir bien y buenas *profinas*.

Toda la torpeza de Tellagorri hablando castellano se trocaba en facilidad, en rapidez y en gracia cuando peroraba en vascuence. Sin embargo, él prefería hablar en castellano porque le parecía más elegante.

Cualquier cosa llegaba a ser graciosa en boca de aquel viejo truhán; cuando pasaba por delante de la taberna alguna chica bonita, Tellagorri lanzaba un ronquido tan socarrón que todo el mundo reía.

Otro, haciendo lo mismo, hubiese parecido ordinario y grosero; él, no; Tellagorri tenía una elegancia y una delicadeza innata que le alejaban de la grosería.

Era también hombre de refranes, y cuando estaba borracho cantaba muy mal, sin afinación alguna, pero dando a las palabras mucha malicia.

Las dos canciones favoritas suyas eran dos híbridas de vascuence y castellano; traducidas literalmente no querían decir gran cosa, pero en sus labios significaban todo. Una, probablemente de su invención, era así:

Ba dala sargentua
Ba dala quefia.

> Erreguiñen bizcarretic
> Artzen ditu cafia.

(Ya sea sargento, ya sea jefe, a costa de la reina, toma su café).

Esto, en boca de Tellagorri, quería decir que todo el mundo era un pillo.

La otra canción la tenía el viejo para los momentos solemnes, y era así:

> Manuelacho, escasayozu
> Barcasiyua Andresi.

(Manolita, pídele perdón a Andrés).

Y hacía, al decir esto Tellagorri, una reverencia cómica, y continuaba con voz gangosa:

> Beti orrela ibilli gabe
> majo sharraren iguesí.

(Sin andar siempre, de esa manera, huyendo de un viejecito tan majo).

Y después, como una consecuencia grave de lo que había dicho antes, añadía:

> Napoleonen pauso gaiztoac
> ondó dituzu icasi.

(Los malos pasos de Napoleón, bien los has aprendido).

No era fácil comprender qué malos pasos de Napoleón habría aprendido Manolita. Probablemente Manolita no tendría ni la más remota idea de la existencia del héroe de Austerlitz, pero esto no era obstáculo para que la canción en boca de Tellagorri tuviese muchísima gracia.

Para los momentos en que Tellagorri estaba un tanto excitado o borracho, tenía otra canción bilingüe, en que se cele-
braba el abrazo de Vergara, y que concluía así:

> ¡Viva Espartero! ¡Viva erreguiña!
> ¡Ojalá de repente ilcobalizaque
> Bere ama ciquiña!

(¡Viva Espartero! ¡Viva la reina! ¡Ojalá de repente se mu-
riese su sucia madre!).

Este adjetivo, dirigido a la madre de Isabel II, indicaba
cómo había llegado el odio por María Cristina hasta los más
alejados rincones de España.

CAPÍTULO IV

A la entrada del pueblo nuevo, en la carretera, y, por tanto, fuera de las murallas, estaba la casa más antigua y linajuda de Urbía: la casa de Ohando.

Los Ohandos constituyeron durante mucho tiempo la única aristocracia de la villa: fueron en tiempo remoto grandes hacendados y fundadores de capellanías; luego, algunos reveses de fortuna y la guerra civil amenguaron sus rentas, y la llegada de otras familias ricas les quitó la preponderancia absoluta que habían tenido.

La casa Ohando estaba en la carretera, lo bastante retirada de ella para dejar sitio a un hermoso jardín, en el cual, como haciendo guardia, se levantaban seis magníficos tilos. Entre los grandes troncos de estos árboles crecían viejos rosales, que formaban guirnaldas en la primavera, cuajadas de flores.

Otro rosal trepador, de retorcidas ramas y rosas de color de té, subía por la fachada, extendiéndose como una parra, y daba al viejo caserón un tono delicado y aéreo. Tenía además este jardín, en el lado que se unía con la huerta, un bosquecillo de lilas y saúcos. En los meses de abril y mayo estos arbustos florecían y mezclaban sus tirsos perfumados, sus corolas blancas y sus racimillos azules.

En la casa solar, sobre el gran balcón del centro, campeaba el escudo de los fundadores, tallado en arenisca roja; se veían

esculpidos en él dos lobos rampantes, con unas manos cortadas en la boca y un roble en el fondo [21]. En el lenguaje herál-
dico, el lobo indica encarnizamiento con los enemigos; el roble, venerable antigüedad.

A juzgar por el blasón de los Ohandos, éstos eran de una familia antigua, feroz con los enemigos. Si había que dar crédito a
algunas viejas historias, el escudo decía únicamente la verdad.

La parte de atrás de la casa de los hidalgos daba a una hon-
donada; tenía una gran galería de cristales y estaba hecha de ladrillo, con entramado negro; enfrente se erguía un monte de
dos mil pies, según el mapa de la provincia, con algunos caseríos en la parte baja, y en la alta, desnudo de vegetación y sólo
cubierto a trechos por encinas y carrascas.

Por un lado, el jardín se continuaba con una magnífica
huerta en declive, orientada al mediodía.

La familia de los Ohandos se componía de la madre, doña
Águeda, y de sus hijos, Carlos y Catalina.

Doña Águeda, mujer débil, fanática y enfermiza, de muy
poco carácter, estaba dominada constantemente en las cuestiones de la casa por alguna criada antigua, y en las cuestiones
espirituales, por el confesor.

En esta época el confesor era un curita joven llamado don
Félix, hombre de apariencia tranquila y dulce que ocultaba va-
gas ambiciones de dominio bajo una capa de mansedumbre
evangélica.

Carlos de Ohando, el hijo mayor de doña Águeda, era un muchacho cerril, oscuro, tímido y de pasiones violentas. El odio y
la envidia se convertían en él en verdaderas enfermedades.

---

[21]   El escudo es el de la antigua familia de los Alzate, de Vera. En sus Memorias escribe Baroja: «Hay, además, otra casa titulada Celaya, que fue también de los Alzates, y que tiene el escudo de esta familia: dos lobos sobre un
roble» *(O. C.,* pág. 515). Véase también *La leyenda de Juan de Alzate,* en
O. C., VI, pág. 1104: «La torre de Jaun se encuentra a orillas de un arroyo
[...] Se entra en ella atravesando un puente pequeño que salva el arroyo; se
pasa una puerta baja, gótica, con el escudo de Alzate, dos lobos negros en
campo de oro». Es, en realidad, la casa de Itzeca, que Baroja compró en Vera.

A Martín Zalacaín le había odiado desde pequeño; cuando Martín le calentó las costillas al salir de la escuela, el odio de Carlos se convirtió en furor. Cuando le veía a Martín andar a caballo y entrar en el río, le deseaba un desliz peligroso.

Le odiaba frenéticamente.

Catalina, en vez de ser oscura y cerril como su hermano Carlos, era pizpireta, sonriente, alegre y muy bonita. Cuando iba a la escuela, con su carita sonrosada, su traje gris y una boina roja en la cabeza rubia, todas las mujeres del pueblo la acariciaban; las demás chicas querían siempre andar con ella, y decían que, a pesar de su posición privilegiada, no era nada orgullosa.

Una de sus amigas era Ignacita, la hermana de Martín.

Catalina y Martín se encontraban muchas veces y se hablaban; él la veía desde lo alto de la muralla, en el mirador de la casa, sentadita y muy formal, jugando o aprendiendo a hacer media. Ella siempre estaba oyendo hablar de las calaveradas de Martín.

—Ya está ese diablo ahí en la muralla —decía Águeda—. Se va a matar el mejor día. ¡Qué demonio de chico! ¡Qué malo es!

Catalina ya sabía que diciendo ese demonio, o ese diablo, se referían a Martín.

Carlos alguna vez le había dicho a su hermana:

—No hables con ese ladrón.

Pero a Catalina no le parecía ningún crimen que Martín cogiera frutas de los árboles y se las comiese, ni que corriese por la muralla. A ella se le antojaban extravagancias, porque desde niña tenía un instinto de orden y tranquilidad, y le parecía mal que Martín fuese tan loco.

Los Ohandos eran dueños de un jardín próximo al río, con grandes magnolias y tilos, y cercado por un seto de zarzas.

Cuando Catalina solía ir allí con la criada a coger flores, Martín las seguía muchas veces y se quedaba a la entrada del seto.

—Entra si quieres —le decía Catalina.

—Bueno —y Martín entraba y hablaba de sus correrías, de las barbaridades que iba a hacer, y exponía las opiniones de Tellagorri, que le parecían artículos de fe.

—¡Más te valiera ir a la escuela! —le decía Catalina.

—¿Yo a la escuela? —exclamaba Martín—. Yo me iré a América o me iré a la guerra.

Catalina y la criada entraban por un sendero del jardín lleno de rosales y hacían ramos de flores. Martín las veía y contemplaba la presa, cuyas aguas brillaban al sol como perlas y se deshacían en espumas blanquísimas.

—Yo andaría por ahí, si tuviera una lancha —decía Martín.

Catalina protestaba:

—¿No se te van a ocurrir más que tonterías siempre? ¿Por qué no eres como los demás chicos?

—Yo les pego a todos —contestaba Martín, como si esto fuera una razón.

....

En la primavera, el camino próximo al río era una delicia. Las hojas nuevas de las hayas comenzaban a verdear; el helecho lanzaba al aire sus enroscados tallos; los manzanos y los perales de las huertas ostentaban sus copas nevadas por la flor, y se oían los cantos de las malvices y de los ruiseñores en las enramadas. El cielo se mostraba azul, de un azul suave, un poco pálido, y sólo alguna nube blanca, de contornos duros, como si fuera de mármol, aparecía en el cielo.

Los sábados, por la tarde, durante la primavera y el verano, Catalina y otras chicas del pueblo, en compañía de alguna buena mujer, iban al camposanto. Llevaba cada una un cestito de flores, hacían una escobilla con los hierbajos secos, limpiaban el suelo de las lápidas en donde estaban enterrados los muertos de su familia y adornaban las cruces con rosas y con azucenas. Al volver hacia casa todas juntas, veían cómo en el cielo comenzaban a brillar las estrellas y escuchaban a los sapos, que lanzaban su misteriosa nota de flauta en el silencio del crepúsculo...

Muchas veces, en el mes de mayo, cuando pasaban Tellagorri y Martín por la orilla del río, al cruzar por detrás de la iglesia, llegaban hasta ellos las voces de las niñas, que cantaban en el coro las flores de María:

Emenchen gauzcatzu, ama.

(Aquí nos tienes, madre).

Escuchaban un momento, y Martín distinguía la voz de Catalina, la chica de Ohando.

—Es *Cataliñ,* la de Ohando —decía Martín.

—Si no eres tonto tú, te casarás con ella —replicaba Tellagorri.

Y Martín se echaba a reír.

CAPÍTULO V

DE CÓMO MURIÓ MARTÍN LÓPEZ DE ZALACAÍN, EN EL AÑO DE GRACIA DE MIL CUATROCIENTOS Y DOCE

Uno de los vecinos que con más frecuencia paseaba por la acera de la muralla era un señor viejo, llamado don Fermín Soraberri [22]. Durante muchísimos años, don Fermín desempeñó el cargo de secretario del Ayuntamiento de Urbía, hasta que se retiró, cuando su hija se casó con un labrador de buena posición.

El señor don Fermín Soraberri era un hombre alto, grueso, pesado, con los párpados edematosos y la cara hinchada. Solía llevar una gorrita con dos cintas colgantes por detrás, una esclavina azul y zapatillas. La especialidad de don Fermín era la de ser distraído. Se olvidaba de todo. Sus relaciones estaban cortadas por este patrón:

—Una vez en Oñate... (Para el señor Soraberri, Oñate era la Atenas moderna. En España hay veinte o treinta Atenas moder-

---

[22] Una vez más surgen recuerdos de Cestona. Véase *O. C.*, VII, págs. 629 y sigs.: «Frente a mi casa nueva, al otro lado de la carretera, vivía un señor viejo [...] El señor Parodi era un veterano, antiguo maestro de escuela de Vergara, grande y pesado como un elefante, que usaba una gorra escocesa con dos cintas que le caían hacia atrás. El pobre hombre acechaba a las gentes para ponerse a hablar con ellas [...] Le pinté en uno de los personajes de *Zalacaín el aventurero* como antiguo secretario del Ayuntamiento de Urbía, pueblo que no existe».

nas). Una vez en Oñate pude presenciar una cosa sumamente interesante. Estábamos reunidos el señor vicario, un señor profesor de primera enseñanza y... —y el señor Soraberri miraba a todas partes, como espantado, con sus grandes ojos turbios, y decía—: ¿En qué iba?... Pues... se me ha olvidado la especie.

Al señor Soraberri siempre se le olvidaba la especie. Casi todos los días el ex secretario se encontraba con Tellagorri y cambiaban un saludo y algunas palabras acerca del tiempo y de la marcha de los árboles frutales. Al comenzar a verle acompañado de Martín, el señor Soraberri se extrañó y miraba al muchacho con su aire de elefante hinchado y reblandecido.

Pensó en dirigirle alguna pregunta, pero tardó varios días, porque el señor Soraberri era tardo en todo. Al último le dijo, con su majestuosa lentitud:

—¿De quién es este niño, amigo Tellagorri?

—¿Este chico? Es un pariente mío.

—¿Algún Tellagorri?

—No; se llama Martín Zalacaín.

—¡Hombre! ¡Hombre! Martín López de Zalacaín.

—No; López, no —dijo Tellagorri.

—Yo sé lo que me digo. Este niño se llama realmente Martín López de Zalacaín y será de ese caserío que está ahí cerca del portal de Francia.

—Sí, señor; de ahí es.

—Pues conozco su historia, y López de Zalacaín ha sido, y López de Zalacaín será, y si quiere usted, mañana vaya a mi casa, y le leeré a usted un papel que copié del archivo del Ayuntamiento acerca de esta cuestión.

Tellagorri dijo que iría, y, efectivamente, al día siguiente, pensando que quizá lo dicho por el ex secretario tuviese alguna importancia, se presentó con Martín en su casa.

Al señor Soraberri se le había olvidado la especie, pero recordó pronto de qué se trataba; encargó a su hija que trajese un vaso de vino para Tellagorri, entró él en su despacho y volvió poco después con unos papeles viejos en la mano; se puso los anteojos, carraspeó, revolvió sus notas y dijo:

—¡Ah! Aquí están. Esto —añadió— es una copia de una narración que hace el cronista Íñigo Sánchez de Ezpeleta acerca de cómo fue vertida la primera sangre en la guerra de los linajes, en Urbía, entre el solar de Ohando y el de Zalacaín, y supone que estas luchas comenzaron en nuestra villa a fines del siglo XIV o a principios del XV.

—¿Y hace mucho tiempo de eso? —preguntó Tellagorri.

—Cerca de quinientos años.

—¿Y ya existían Zalacaín entonces?

—No sólo existían, sino que eran nobles.

—Oye, oye —dijo Tellagorri, dando un codazo a Martín, que se distraía.

—¿Quieren ustedes que lea lo que dice el cronista?

—Sí, sí.

—Bueno. Pues dice así: «Título: De cómo murió Martín López de Zalacaín, en el año de gracia de mil cuatrocientos y doce».

Leído esto, Soraberri tosió, escupió y comenzó esta relación con gran solemnidad:

«Enemistad antigua señalada avya entre el solar d'Ohando, que es del reino de Navarra, e el de Zalacain, que es en tierra de la Borte. E dícese que la causa della foe sobre envidia e a cual valia mas, e ficieron muchos malheficios e los de Zalacain quemaron vivo al senyor de Sant Pedro en una pelea que ovyeron en el llano del Somo e porque no dexo fijo el dicho senyor de Sant Pedro casaron una su fija con Martin Lopez de Zalacain, home muy andariego.

»E dicho Martin Lopez seyendo venido a la billa d'Urbia foe desafiado por Mosen de Sant Pedro, del solar d'Ohando, que era sobrino del otro senyor de Sant Pedro e que había fecho muchos malheficios, acechanzas e rrobos.

»E Martin Lopez contestole a su desafiamiento: Como vos sabedes yo so contado aqui por el mas esforzado ome y ardite en el fecho de las armas en toda esta tierra y paresce que los d'Ohando a vos han traido por la mejor lanza de Navarra por vengar la muertte de mi suegro que foe en la pelea peleada con lealtad en el Somo e como el cuibdaba matar a mi, yo a el.

»E por ende si a vos pluguiese que nos probemos vos e yo, uno para otro, fasta que uno de nos o ambos por ventura muramos, a mi plasera mucho e aqui presto.

»E respondiole Mosen de Sant Pedro que le plasia e se citaron en el prado de Sant Ana. En esta sazon venya dicho Martin Lopez encima de su cavallo como esforzado cavallero e antes de pelear con Mosen de Sant Pedro fue feridc de una saeta que le entró por un ojo e cayo muertto del cavallo en medio del prado. E lo desjarretaron. E preparo la asechanza e armo la ballestta e la disparo Velche de Micolalde, deudo e amigo de Mosen de Sant Pedro d'Ohando. E los cmes de Martin Lopez como lo veyeron muertto e eran pocos enfrente de los de Ohando, ovyeron muy grant miedo e comenzaron todos a fugir.

»E cuando lo supo la muger de Martin Lopez fue la triste al prado de Sant Ana, e cuando vido el cuerpo de su marido, sangriento y mutilado, se afinojo, prisole en sus brazos e comenzo a llorar, maldiciendo la guerra e su mala fortuna. E esto pasaba en el año de Nuestro Senyor de mil cuatrocientos y doce» [23].

Cuando concluyó, el señor Soraberri miró, a través de sus anteojos, a sus dos oyentes. Martín no se había enterado de nada; Tellagorri dijo:

---

[23] Esta fieticia crónica está reelaborada sobre un fragmento del *Libro de las buenas andanzas e fortunas* de Lope García de Salazar, que Barcja conocía (cfr. *O. C.*, VII, pág. 515), probablemente en la edición de Madrid, 1884. En el libro XXII de la obra de Salazar se lee el texto que Baroja rehace: «Dicen en las partes de Bayona e de Guipuscoa, entre los que fablan de las guerras que pasaron en ellas, que la primera sangre que fue vertida entre linajes fue entre el solar de Urtubia, que es tierra de la Borte, e el solar de Ugarte, que es en la provincia de Guipuscoa [...] E la causa de ella fue a cuál valía más». A continuación se narra «cómo mosén Juan de Sant Pedro mató al señor de Alçate e a su fijo». Luego, Juan de Gamboa casó «con la fija heredera que dexó aquel señor de Alçate», y finalmente los Gamboa fueron derrotados por los Alzate. La crónica de García de Salazar sitúa estos hechos en 1413. En cuanto al fragmento de la novela, se mantienen aquí escrupulosamente las grafías de Baroja.

—Sí, esos Ohandos es gente *palsa*. Mucho ir a la iglesia, pero luego matan a traición.

Soraberri recomendó eficazmente a su amigo Tellagorri que no hiciera nunca juicios aventurados y temerarios, y con este motivo comenzó a contar una historia, precisamente ocurrida en Oñate; pero al ir a especificar los que habían intervenido en su historia, se le olvidó la especie, y lo sintió, verdaderamente lo sintió, porque, según dijo, tenía la seguridad de que el hecho era sumamente interesante, y, además, muy digno de mención.

CAPÍTULO VI

DE CÓMO LLEGARON UNOS TITIRITEROS
Y DE LO QUE SUCEDIÓ DESPUÉS

Un día de mayo, al anochecer, se presentaron en el camino real tres carros, tirados por caballos flacos, llenos de mataduras y de esparavanes. Cruzaron la parte nueva del pueblo y se detuvieron en lo alto del prado de Santa Ana.

No podía Tellagorri, gaceta de la taberna de Arcale, quedar sin saber en seguida de qué se trataba; así que se presentó al momento en el lugar, seguido de *Marqués*. Trabó inmediatamente conversación con el jefe de la caravana, y después de varias preguntas y respuestas y de decir el hombre que era francés y domador de fieras, Tellagorri se lo llevó a la taberna de Arcale.

Martín se enteró también de la llegada de los domadores con sus fieras enjauladas, y a la mañana siguiente, al levantarse, lo primero que hizo fue dirigirse al prado de Santa Ana.

Comenzaba a salir el sol cuando llegó al campamento del domador.

Uno de los carros era la casa de los saltimbanquis. Acababan de salir de dentro el domador, su mujer, un viejo, un chico y una chica. Sólo una niña de pocos meses quedó en la carretachoza jugando con un perro.

El domador no ofrecía ese aire, entre petulante y grotesco, tan común a los acróbatas de barracas y gentes de feria: era sombrío, joven, con aspecto de gitano, el pelo negro y rizoso, los ojos verdes, el bigote alargado en las puntas por una especie de patillas pequeñas, y la expresión de maldad siniestra y repulsiva.

El viejo, la mujer y los chicos tenían sólo carácter de pobres; eran de esos tipos y figuras borrosas que el troquel de la miseria produce a millares.

El hombre, ayudado por el viejo y por el chico, trazó con una cuerda un círculo en la tierra, y en el centro plantó un palo grande, de cuya punta partían varias cuerdas, que se ataban en estacas clavadas fuertemente en el suelo.

El domador buscó a Tellagorri, para que le proporcionara una escalera; le indicó éste que había una en la taberna de Arcale; la sacaron de allí, y con ella sujetaron las lonas, hasta que formaron una tienda de campaña de forma cónica.

Los dos carros con jaulas en donde iban las fieras los colocaron dejando entre ellos un espacio que servía de puerta al circo, y encima y a los lados pusieron los saltimbanquis tres carteles pintarrajeados. Uno representaba varios perros lanzándose sobre un oso, el otro una lucha entre un león y un búfalo, y el tercero unos indios atacando con lanzas a un tigre, que les esperaba en la rama de un árbol, como si fuera un jilguero.

Dieron los hombres la última mano al circo, y el domingo, en el momento que la gente salía de vísperas, se presentó el domador, seguido del viejo, en la plaza de Urbía, delante de la iglesia. Ante el pueblo congregado, el domador comenzó a soplar en un cuerno de caza, y su ayudante redobló en el tambor.

Recorrieron los dos hombres las calles del barrio viejo y luego salieron fuera de puertas, y tomando por el puente, seguidos de una turba de chicos y chicas, llegaron al prado de Santa Ana, se acercaron a la barraca y se detuvieron ante ella.

A la entrada, la mujer tocaba el bombo con la mano derecha y los platillos con la izquierda, y una chica desmelenada agitaba una campanilla. Uniéronse a estos sonidos discordantes las notas agudísimas del cuerno de caza y el redoble del tambor, produciendo entre todo una algarabía insoportable.

Este ruido cesó a una señal imperiosa del domador, que, con su instrumento de viento en el brazo izquierdo, se acercó a una escalera de mano próxima a la entrada, subió dos o tres peldaños, tomó una varita y, señalando las monstruosas figuras pintarrajeadas en los lienzos, dijo con voz enfática:

—Aquí verán ustedes los osos, los lobos, el león y otras terribles fieras. Verán ustedes la lucha del oso de los Pirineos con los perros, que saltan sobre él y acaban por sujetarle. Éste es el león del desierto, cuyos rugidos espantan al más bravo de los cazadores. Sólo su voz pone espanto en el corazón más valiente... ¡Oíd!

El domador se detuvo un momento, y se oyeron en el interior de la barraca terribles rugidos y, como contestándolos, el ladrar feroz de una docena de perros.

El público quedó aterrorizado.

—En el desierto...

El domador iba a seguir; pero viendo que el efecto de curiosidad en el público estaba conseguido, y que la multitud pretendía pasar sin tardanza al interior del circo, gritó:

—La entrada no cuesta más que un real. ¡Adelante, señores! ¡Adelante!

Y volvió a atacar con el cuerno de caza un aire marcial, mientras el viejo ayudante redoblaba en el tambor.

La mujer abrió la lona que cerraba la puerta y se puso a recoger los cuartos de los que iban pasando.

Martín presenció todas estas maniobras con una curiosidad creciente; hubiera dado cualquier cosa por entrar, pero no tenía dinero.

Buscó una rendija entre las lonas, para ver algo, pero no la pudo encontrar; se tendió en el suelo, y estaba así, con la cara junto a la tierra, cuando se le acercó la chica haraposa del domador que tocaba la campanilla a la puerta.

—Eh, tú, ¿qué haces ahí?

—Mirar —dijo Martín.

—No se puede.

—¿Y por qué no se puede?

—Porque no. Si no, quédate ahí; ya verás si te pesca mi amo.

—¿Y quién es tu amo?

—¿Quién ha de ser? El domador.

—¡Ah! ¿Pero tú eres de aquí?

—Sí.

—¿Y no sabes pasar?

—Si no dices a nadie nada, ya te pasaré.

—Yo también te traeré cerezas.

—¿De dónde?

—Yo sé dónde las hay.

—¿Cómo te llamas?

—Martín. ¿Y tú?

—Yo, Linda.

—Así se llamaba la perra del médico —dijo, poco galantemente, Martín.

Linda no protestó de la comparación; fue detrás de la entrada del circo, tiró de una lona, abrió un resquicio y dijo a Martín:

—Anda, pasa.

Se deslizó Martín y luego ella.

—¿Cuándo me darás las cerezas? —preguntó la chica.

—Cuando esto se concluya iré a buscarlas.

Martín se colocó entre el público. El espectáculo que ofrecía el domador de fieras era realmente repulsivo.

Alrededor del circo, atados a los pies de un banco hecho con tablas, había diez o doce perros flacos y sarnosos. El domador hizo restallar el látigo, y todos los perros a una comenzaron a ladrar y a aullar furiosamente. Luego el hombre vino con un oso atado a una cadena, con la cabeza protegida por una cubierta de cuero.

El domador obligó a ponerse de pie varias veces al oso y a bailar con el palo cruzado sobre los hombros y a tocar la pandereta. Luego soltó un perro, que se lanzó sobre el oso y, después de un momento de lucha, se le colgó de la piel. Tras de éste soltó otro perro, y luego otro y otro, con lo cual el público se comenzó a cansar.

A Martín no le pareció bien, porque el pobre oso estaba sin defensa alguna. Los perros se echaban con tal furia sobre el oso, que, para obligarles a soltar la presa, el domador o el viejo tenían que morderles la cola. A Martín no le agradó el espectáculo y dijo en voz alta, y algunos fueron de su opinión, que el oso atado no podía defenderse.

Después todavía martirizaron más a la pobre bestia. El domador era un verdadero canalla y pegaba al animal en los dedos de las patas, y el oso babeaba y gemía con unos gemidos ahogados.

—¡Basta! ¡Basta! —gritó un indiano que había estado en California.

—Porque tiene el oso atado hace eso —dijo Martín—, si no, no lo haría.

El domador se fijó en el muchacho y le lanzó una mirada de odio.

Lo que siguió fue más agradable: la mujer del domador, vestida con un traje de lentejuelas, entró en la jaula del león, jugó con él, le hizo saltar y ponerse de pie, y después Linda dio dos o tres volatines y vino con un monillo vestido de rojo, a quien obligó a hacer ejercicios acrobáticos.

El espectáculo concluía. La gente se disponía a salir. Martín vio que el domador le miraba. Sin duda, se había fijado en él. Martín se adelantó a salir y el domador le dijo:

—Espera, tú no has pagado. Ahora nos veremos. Te voy a echar los perros como al oso.

Martín retrocedió espantado; el domador le contemplaba con una sonrisa feroz. Martín recordó el sitio por donde entró, y empujando violentamente la lona, la abrió y salió fuera de la barraca. El domador quedó chasqueado. Dio después Martín la vuelta al prado de Santa Ana, hasta detenerse prudentemente a quince o veinte metros de la entrada del circo.

Al ver a Linda, le dijo:

—¿Quieres venir?

—No puedo.

—Pues ahora te traeré las cerezas.

En el momento que hablaban, apareció corriendo el domador; pensó, sin duda, en abalanzarse sobre Martín, pero, comprendiendo que no le alcanzaría, se vengó en la niña y le dio una bofetada brutal. La chiquilla cayó al suelo. Unas mujeres se interpusieron e impidieron al domador que siguiera pegando a la pobre Linda.

—Tú lo has metido dentro, ¿verdad? —gritó el domador en francés.

—No; ha sido él, que ha entrado.

—Mentira. Has sido tú. Confiesa o te deslomo.

—Sí, he sido yo.

—¿Y por qué?

—Porque me ha dicho que me traería cerezas.

—¡Ah!, bueno —y el domador se tranquilizó—, que las traiga; pero si te las comes, te hartaré de palos. Ya lo sabes.

Martín, al poco rato, volvió con la boina llena de cerezas. La Linda las puso en su delantal, y estaba con ellas cuando se presentó el domador de nuevo. Martín se apartó dando un salto hacia atrás.

—No, no te escapes —dijo el domador con una sonrisa que quería ser amable.

Martín se quedó. Luego, el hombre le preguntó quién era, y, al saber su parentesco con Tellagorri, le dijo:

—Ven cuando quieras, te dejaré pasar.

Durante los demás días de la semana la barraca del domador estuvo vacía. El domingo, los saltimbanquis hicieron dar un bando por el pregonero, diciendo que representarían un número extraordinario e interesantísimo. Martín se lo dijo a su madre y a su hermana. La chica se asustaba al escuchar el relato de las fieras, y no quiso ir.

Acudieron sólo la madre y el hijo. El número sensacional era la lucha de la Linda con el oso. La chiquilla se presentó desnuda de medio cuerpo arriba y con unos pantalones de percal rojo. Linda se abrazó al oso y hacía que luchaba con él, pero el domador tiraba a cada paso de una cuerda atada a la nariz del plantígrado.

A pesar de que la gente pensaba que no había peligro para la niña, producía una terrible impresión ver las grandes y peludas garras del animal sobre las espaldas débiles de la niña.

Después del número sensancional, que no entusiasmó al público, entró la mujer en la jaula del león.

La fiera debía estar enferma, porque la domadora no halló medio de que hiciese los ejercicios de costumbre.

Viendo semejante fracaso, el domador, poseído de una rabiosa furia, entró en la jaula, mandó salir a la mujer y empezó a latigazos con el león. Éste se levantó enseñando los dientes y, lanzando un rugido, se echó sobre el domador; el viejo ayudante metió por entre los barrotes de la jaula una palanca de hierro para aislar el hombre de la fiera, pero con tan poca fortuna, que la palanca se enganchó en las ropas del domador, y en vez de protegerle le inmovilizó y le dejó entregado a la fiera.

El público vio al domador echando sangre, y se levantó despavorido y se dispuso a huir.

No había peligro para los espectadores, pero un pánico absurdo hizo que todos se lanzasen atropelladamente a la salida; alguien, que luego no se supo quién fue, disparó un tiro contra el león, y en aquel momento insensato de fuga resultaron magullados y contusos varias mujeres y niños.

El domador quedó también gravemente herido.

Dos mujeres fueron recogidas con contusiones de importancia; una de ellas, una vieja de un caserío lejano que hacía diez años que no había estado en Urbía; la otra, la madre de Martín, que además de las magulladuras y golpes, presentaba una herida en el cuello, ocasionada, según dijo el médico, por un trozo del barrote de la jaula, desprendido al choque de la bala disparada por una persona desconocida.

Se trasladó a la madre de Martín a su casa, y fuera que las contusiones y la herida tuviesen gravedad, fuera, como dijeron algunos, que no estuviese bien atendida, el caso fue que la pobre mujer murió a la semana del accidente de la barraca, dejando huérfanos a Martín y a la Ignacia.

CAPÍTULO VII

CÓMO TELLAGORRI SUPO PROTEGER
A LOS SUYOS

A la muerte de la madre de Martín, Tellagorri, con gran asombro del pueblo, recogió a sus sobrinos y se los llevó a su casa. La señora de Ohando dijo que era una lástima que aquellos niños fuesen a vivir con un hombre desalmado, sin religión y sin costumbres, capaz de decir que saludaba con más respeto a un perro de aguas que al señor párroco.

La buena señora se lamentó, pero no hizo nada, y Tellagorri se encargó de cuidar y alimentar a los huérfanos.

La Ignacia entró en la posada de Arcale, de niñera, y hasta los catorce años trabajó allí.

Martín frecuentó la escuela durante algunos meses, pero le tuvo que sacar Tellagorri antes del año porque se pegaba con todos los chicos y hasta quiso zurrar al pasante[24].

Arcale, que sabía que el muchacho era listo y de genio vivo, le utilizó para recadista en el coche de Francia, y cuando aprendió a guiar, de recadista le ascendieron a cochero interino, y al cabo de un año le pasaron a cochero en propiedad.

Martín, a los dieciséis años, ganaba su vida y estaba en sus glorias. Se jactaba de ser un poco bárbaro y vestía un tanto

---

[24] *Pasante:* ayudante del maestro.

majo [25], con la elegancia garbosa de los antiguos postillones. Llevaba chalecos de color y en la cadena del reloj, colgantes de plata. Le gustaba lucirse los domingos en el pueblo; pero no le gustaba menos los días de labor marchar en el pescante por la carretera restallando el látigo, entrar en las ventas del camino, contar y oír historias y llevar encargos.

La señora de Ohando y Catalina se los hacían con mucha frecuencia, y le recomendaban que les trajese de Francia telas, puntillas y algunas veces alhajas.

—¿Qué tal, Martín? —le decía Catalina en vascuence.

—Bien —contestaba él rudamente, haciéndose más el hombre—. ¿Y en vuestra casa?

—Todos buenos. Cuando vayas a Francia tienes que comprarme una puntilla como la otra. ¿Sabes?

—Sí, sí; ya te compraré.

—¿Ya sabes francés?

—Ahora empiezo a hablar.

Martín se estaba haciendo un hombretón, alto, fuerte, decidido. Abusaba un poco de su fuerza y de su valor, pero nunca atacaba a los débiles. Se distinguía también como jugador de pelota y era uno de los primeros en el trinquete.

Un invierno hizo Martín una hazaña, de la que se habló en el pueblo. La carretera estaba intransitable por la nieve y no pasaba el coche. Zalacaín fue a Francia y volvió a pie, por la parte de Navarra, con un vecino de Larrau. Pasaron los dos por el bosque de Iraty [26] y les acometieron unos cuantos jabalíes.

Ninguno de los hombres llevaba armas, pero a garrotazos mataron tres de aquellos furiosos animales: Zalacaín, dos, y el de Larrau, otro.

---

[25]   *Majo:* ostentoso.

[26]   Comp. *El País Vasco,* pág. 336: «El paso del puerto de Larrau y la visita a las ruinas del antiguo cazadero de los reyes de Navarra, en Orbaiceta, y el bosque y gargantas del Irati dan motivo al turista a llevar recuerdos de su visita difícilmente olvidables».

Cuando Martín volvió triunfante, muerto de fatiga y con sus dos jabalíes, el pueblo entero le consideró como un héroe.

Tellagorri también fue muy felicitado por tener un sobrino de tanto valor y audacia. El viejo, muy contento, aunque haciéndose el indiferente, decía:

—Este sobrino mío va a dar mucho que hablar. De casta le viene al galgo. Porque yo no sé si vosotros habréis oído hablar de López de Zalacaín. ¿No? Pues preguntadle a ese viejo Soraberri, ya veréis lo que os cuenta...

—¿Y qué tiene que ver ese López con tu sobrino? —le replicaban.

—Pues que es antepasado de Martín. No comprendéis nada.

Tellagorri pagó caro el triunfo obtenido por su sobrino en la caza de los jabalíes, porque de tanto beber se puso enfermo.

La Ignacia y Martín, por consejo del médico, obligaron al viejo a que suprimiese toda bebida, fuese vino o licor; pero Tellagorri, con tal procedimiento de abstinencia, languidecía y se iba poniendo triste.

—Sin vino y sin *patharra*[27] soy un hombre muerto —decía Tellagorri.

Y viendo que el médico no se convencía de esta verdad, hizo que llamaran a otro más joven.

Éste le dio la razón al borracho, y no sólo le recomendó que bebiera todos los días un poco de aguardiente, sino que le recetó una medicina hecha con ron. La Ignacia tuvo que guardar la botella del medicamento para que el enfermo no se la bebiera de un trago. A medida que entraba el alcohol en el cuerpo de Tellagorri, el viejo se erguía y se animaba.

A la semana de tratamiento se encontraba tan bien que comenzó a levantarse y a ir a la posada de Arcale, pero se creyó en el caso de hacer locuras, a pesar de sus años, y anduvo de noche entre la nieve y cogió una pleuresía.

---

[27] *Patharra:* especie de aguardiente.

—De ésta no sale usted —le dijo el médico, incomodado, al ver que había faltado a sus prescripciones.

Tellagorri lo comprendió así, y se puso serio, hizo una confesión rápida, arregló sus cosas y, llamando a Martín, le dijo en vascuence:

—Martín, hijo mío, yo me voy. No llores. Por mí lo mismo me da. Eres fuerte y valiente y eres buen chico. No abandones a tu hermana, ten cuidado con ella. Por ahora, lo mejor que puedes hacer es llevarla a casa de Ohando. Es un poco coqueta; pero Catalina la tomará. No le olvides tampoco a *Marquesch;* es viejo, pero ha cumplido.

—No, no le olvidaré —dijo Martín sollozando.

—Ahora —prosiguió Tellagorri— te voy a decir una cosa, y es que antes de poco habrá guerra. Tú eres valiente, Martín; tú no tendrás miedo de las balas. Vete a la guerra, pero no vayas de soldado. Ni con los blancos ni con los negros. ¡Al comercio, Martín! ¡Al comercio! Venderás a los liberales y a los carlistas, harás tu pacotilla[28] y te casarás con la chica de Ohando. Si tenéis un chico, llamadle como yo: Miguel o José Miguel.

—Bueno —dijo Martín, sin fijarse en lo extravagante de la recomendación.

—Dile a Arcale —siguió diciendo el viejo— dónde tengo el tabaco y las setas. Ahora acércate más. Cuando yo me muera, registra mi jergón, y encontrarás en esta punta de la izquierda un calcetín con unas monedas de oro. Ya te he dicho: no quiero que las emplees en tierras, sino en géneros de comercio.

—Así lo haré.

—Creo que te lo he dicho todo. Ahora dame la mano. Firmes, ¿eh?

—Firmes.

El pobre Tellagorri se olvidó de decir *pirmes,* como hubiera dicho estando sano.

---

[28] *Hacer uno su pacotilla:* reunir un caudal más o menos grande con una especulación, empleo o trabajo cualquiera *(DRAE).*

—A esa sosa de la Ignacia —añadió poco después el viejo— le puedes dar lo que te parezca cuando se case.

A todo dijo Martín que sí. Luego acompañó al viejo, contestando a sus preguntas, algunas muy extrañas, y por la madrugada dejó de vivir Miguel de Tellagorri, hombre de mala fama y de buen corazón.

CAPÍTULO VIII

CÓMO AUMENTÓ EL ODIO ENTRE MARTÍN ZALACAÍN Y CARLOS OHANDO

Cuando murió Tellagorri, Catalina de Ohando, ya una señorita, habló a su madre para que recogiera a la Ignacia, la hermana de Martín. Era ésta, según se decía, un poco coqueta, y estaba acostumbrada a los piropos de la gente de casa de Arcale.

La suposición de que la muchacha, siguiendo en la taberna, pudiese echarse a perder, influyó en la señora de Ohando para llevarla a su casa de doncella. Pensaba sermonearla hasta quitarle todos los malos resabios y dirigirla por la senda de la más estrecha virtud.

Con el motivo de ver a su hermana, Martín fue varias veces a casa de Ohando y habló con Catalina y doña Águeda. Catalina seguía hablándole de tú, y doña Águeda manifestaba por él afecto y simpatía, expresados en un sinfín de advertencias y de consejos.

En verano se presentó Carlos Ohando, que venía de vacaciones del colegio de Oñate [29].

---

[29] Colegio integrista, que tuvo durante muchos años carácter universitario. Suprimida la Universidad de Oñate por Decreto en 1807, volvió a abrir sus puertas durante el breve período de la corte carlista de Estella. Acerca de las condiciones que se requerían para ser profesor en Oñate, véase Galdós, *De Oñate a La Granja,* cap. XVIII.

Pronto notó Martín que, con la ausencia, el odio que le profesaba Carlos más había aumentado que disminuido. Al comprobar este sentimiento de hostilidad dejó de presentarse en casa de Ohando.

—No vas ahora a vernos —le dijo alguna vez que le encontró en la calle Catalina.

—No voy porque tu hermano me odia —contestó claramente Martín.

—No, no lo creas.

—¡Bah! Yo sé lo que me digo.

El odio existía. Se manifestó primeramente en el juego de pelota. Tenía Martín un rival en un chico navarro, de la Ribera del Ebro, hijo de un carabinero.

A este rival le llamaban el *Cacho,* porque era zurdo [30].

Carlos de Ohando y algunos condiscípulos suyos, carlistas que se las echaban de aristócratas, comenzaron a proteger al *Cacho* y a excitarlo y a lanzarlo contra Martín.

El *Cacho* tenía un juego furioso de hombre pequeño e iracundo; el juego de Martín, tranquilo y reposado, era el del que está seguro de sí mismo. El *Cacho,* si comenzaba a ganar, se exaltaba, llevaba el partido al vuelo; en cambio, desanimado, no tiraba una pelota que no fuese falta.

Eran dos tipos, Zalacaín y el *Cacho,* completamente distintos; el uno, la serenidad y la inteligencia del montañés; el otro, el furor y el brío del ribereño.

Semejante rivalidad, explotada por Ohando y los señoritos de su cuerda, terminó en un partido que propusieron los amigos del *Cacho.* El desafío se concertó así: el *Cacho* e Isquiña, un jugador viejo de Urbía, contra Zalacaín y el compañero que éste quisiera tomar. El partido sería a cesta y a diez juegos.

---

[30]   En el noroeste de Navarra y en gran parte del territorio vasco, *cacho* es, en efecto, la denominación para el zurdo, como en el Bajo Aragón la variante *cucho* y en otras zonas *gacho.*

Martín eligió como zaguero a un muchacho vascofrancés que estaba de oficial en la panadería de Archipi y que se llamaba Bautista Urbide.

Bautista era delgado, pero fuerte, sereno y muy dueño de sí mismo.

Se apostó mucho dinero por ambas partes. Casi todo el elemento popular y liberal estaba por Zalacaín y Urbide; los señoritos, el sacristán y la gente carlista de los caseríos, por el *Cacho.*

El partido constituyó un acontecimiento en Urbía; el pueblo entero y mucha gente de los alrededores se dirigió al juego de pelota a presenciar el espectáculo.

La lucha principal iba a ser entre los dos delanteros, entre Zalacaín y el *Cacho.* El *Cacho* ponía de su parte su nerviosidad, su furia, su violencia en echar la pelota baja y arrinconada; Zalacaín se fiaba en su serenidad, en su buena vista y en la fuerza de su brazo, que le permitía coger la pelota y lanzarla a lo lejos.

La montaña iba a pelear contra la llanura.

Comenzó el partido en medio de una gran expectación; los primeros juegos fueron llevados a la carrera por el *Cacho,* que tiraba las pelotas como balas unas líneas solamente por encima de la raya, de tal modo, que era imposible recogerlas.

A cada jugada maestra del navarro, los señoritos y los carlistas aplaudían entusiasmados; Zalacaín sonreía, y Bautista le miraba con cierto mal disimulado pánico.

Iban cuatro juegos por nada, y ya parecía el triunfo del navarro casi seguro, cuando la suerte cambió y comenzaron a ganar Zalacaín y su compañero.

Al principio, el *Cacho* se defendía bien y remataba el juego con golpes furiosos; pero luego, como si hubiese perdido el tono, comenzó a hacer faltas con una frecuencia lamentable, y el partido se igualó.

Desde entonces se vio que el *Cacho* e Isquiña perdían el juego. Estaban desmoralizados. El *Cacho* se tiraba contra la pelota con ira; hacía una falta y se indignaba; pegaba con la cesta en la tierra enfurecido, y echaba la culpa de todo a su zaguero.

Zalacaín y el vascofrancés, dueños de la situación, guardaban una serenidad completa, corrían elásticamente y reían.

—Ahí, Bautista —decía Zalacaín—. ¡Bien!

—Corre, Martín —gritaba Bautista—. ¡Eso es!

El juego terminó con el triunfo completo de Zalacaín y de Urbide.

—¡*Viva guturrac!* (¡Vivan los nuestros!) —gritaron los de la *calle* de Urbía, aplaudiendo torpemente.

Catalina sonrió a Martín y le felicitó varias veces.

—¡Muy bien! ¡Muy bien!

—Hemos hecho lo que hemos podido —contestó él sonriente.

Carlos Ohando se acercó a Martín, y le dijo con mal ceño:

—El *Cacho* te juega mano a mano.

—Estoy cansado —contestó Zalacaín.

—¿No quieres jugar?

—No. Juega tú si quieres.

Carlos, que había comprobado una vez más la simpatía de su hermana por Martín, sintió avivarse su odio.

Había venido aquella vez Carlos Ohando de Oñate más sombrío, más fanático y más violento que nunca.

Martín sabía el odio del hermano de Catalina, y cuando lo encontraba por casualidad, huía de él, lo cual a Carlos le producía más ira y más furor.

Martín estaba preocupado, buscando la manera de seguir los consejos de Tellagorri y de dedicarse al comercio; había dejado su oficio de cochero y entrado con Arcale en algunos negocios de contrabando.

Un día, una vieja criada de casa de Ohando, chismosa y murmuradora, fue a buscarle y le contó que la Ignacia, su hermana, coqueteaba con Carlos, el señorito de Ohando.

Si doña Águeda lo notaba, iba a despedir a Ignacia, con lo cual el escándalo dejaría a la muchacha en una mala situación.

Martín, al saberlo, sintió deseos de presentarse a Carlos y de insultarle y desafiarle. Luego, pensando que lo esencial era evitar las murmuraciones, ideó varias cosas, hasta que, al último, le pareció lo mejor ir a ver a su amigo Bautista Urbide.

Había visto al vascofrancés muchas veces bailando con la Ignacia y creía que tenía alguna inclinación por ella.

El mismo día que le dieron la noticia se presentó en la tahona de Archipi, en donde Urbide trabajaba. Lo encontró al vascofrancés, desnudo de medio cuerpo arriba, en la boca del horno.

—Oye, Bautista —le dijo.

—¿Qué pasa?

—Te tengo que hablar.

—Te escucho —dijo el francés, mientras maniobraba con la pala.

—¿A ti te gusta la *Iñasi,* mi hermana?

—¡Hombre!..., sí. ¡Qué pregunta! —exclamo Bautista—. ¿Para eso vienes a verme?

—¿Te casarías con ella?

—Si tuviera dinero para establecerme, ya lo creo.

—¿Cuánto necesitarías?

—Unos ochenta o cien duros.

—Yo te los doy.

—¿Y por qué es esa prisa? ¿Le pasa algo a la Ignacia?

—No, pero he sabido que Carlos Ohando le está haciendo el amor. ¡Y como la tiene en su casa!...

—Nada, nada. Háblale tú, y si ella quiere, ya está. Nos casamos en seguida.

Se despidieron Bautista y Martín, y éste, al día siguiente, llamó a su hermana y le reprochó su coquetería y su estupidez. La Ignacia negó los rumores que habían llegado hasta su hermano; pero, al último, confesó que Carlos la pretendía, pero con buen fin.

—¡Con buen fin! —exclamó Zalacaín—. Pero tú eres idiota, criatura.

—¿Por qué?

—Porque te quiere engañar, nada más.

—Me ha dicho que se casará conmigo.

—¿Y tú le has creído?

—¡Yo! Le he dicho que espere y que te preguntaré a ti, pero él me ha contestado que no quiere que te diga a ti nada.

—Claro. Porque yo echaría abajo sus planes. Te quiere engañar y quiere deshonrarnos, y que el pueblo entero nos desprecie, porque me odia a mí. Yo no te digo más que una cosa: que si pasa algo entre ese sacristán y tú, te despellejo a ti y a él, y le pego fuego a la casa, aunque me lleven a presidio para toda la vida.

La Ignacia se echó a llorar; pero cuando Martín le dijo que Bautista se quería casar con ella y que tenía dinero, se secaron pronto sus lágrimas.

—¿Bautista quiere casarse? —preguntó la Ignacia, asombrada.

—Sí.

—¡Pero si no tiene dinero!

—Pues ahora lo ha encontrado.

La idea del casamiento con Bautista no sólo consoló a la muchacha, sino que pareció ofrecerle un halagador porvenir.

—¿Y qué quieres que haga? ¿Salir de la casa? —preguntó la Ignacia, secándose las lágrimas y sonriendo.

—No; por de pronto sigue ahí, es lo mejor, y dentro de unos días Bautista irá a ver a doña Águeda y a decirle que se casa contigo.

Se hizo lo acordado por los dos hermanos. En los días siguientes, Carlos Ohando vio que su conquista no seguía adelante, y el domingo, en la plaza, pudo comprobar que la Ignacia se inclinaba definitivamente del lado de Bautista. Bailaron la muchacha y el panadero toda la tarde con gran entusiasmo.

Carlos esperó a que la Ignacia se encontrara sola, y la insultó y le echó en cara su coquetería y su falsedad. La muchacha, que no tenía gran inclinación por Carlos, al verle tan violento, cobró por él desvío y miedo.

Poco después, Bautista Urbide se presentó en casa de Ohando, habló a doña Águeda, se celebró la boda, y Bautista y la Ignacia fueron a vivir a Zaro, un pueblecillo del país vascofrancés.

CAPÍTULO IX

CÓMO INTENTÓ VENGARSE CARLOS DE MARTÍN ZALACAÍN

Carlos Ohando enfermó de cólera y de rabia. Su naturaleza, violenta y orgullosa, no podía soportar la humillación de ser vencido; sólo el pensarlo le mortificaba y le corroía el alma.

Al intentar seducir Carlos a la Ignacia, casi podía más en él su odio contra Martín que su inclinación por la chica. Deshonrarla a ella y hacerle a él la vida triste era lo que le encantaba. En el fondo, el aplomo de Zalacaín, su contento por vivir, su facilidad para desenvolverse ofendían a este hombre sombrío y fanático.

Además, en Carlos la idea de orden, de categoría, de subordinación era esencial, fundamental, y Martín intentaba marchar por la vida sin cuidarse gran cosa de las clasificaciones y de las categorías sociales.

Esta audacia ofendía profundamente a Carlos, y hubiese querido humillarle para siempre, hacerle reconocer su inferioridad. Por otra parte, el fracaso de su tentativa de seducción le hizo más malhumorado y sombrío.

Una noche, aún no convaleciente de su enfermedad, producida por el despecho y la cólera, se levantó de la cama, en donde no podía dormir, y bajó al comedor.

Abrió una ventana y se asomó a ella. El cielo estaba sereno y puro. La luna blanqueaba las copas de los manzanos, cubiertos por la nieve de sus menudas flores. Los melocotoneros extendían a lo largo de las paredes sus ramas, abiertas en abanico, llenas de capullos. Carlos respiraba el aire tibio de la noche cuando oyó un cuchicheo y prestó atención.

Estaba hablando su hermana Catalina, desde la ventana de su cuarto, con alguien que se encontraba en la huerta. Cuando Carlos comprendió que era con Martín con quien hablaba sintió un dolor agudísimo y una impresión sofocante de ira.

Siempre se había de encontrar enfrente de Martín. Parecía que el destino de los dos era estorbarse y chocar el uno contra el otro.

Martín contaba, bromeando, a Catalina la boda de Bautista y de la Ignacia en Zaro; el banquete celebrado en casa del padre del vascofrancés, el discurso del alcalde del pueblecillo...

Carlos desfallecía de cólera. Martín le había impedido conquistar a la Ignacia, y deshonraba, además, a los Ohandos siendo el novio de su hermana, hablando con ella de noche. Sobre todo, lo que más hería a Carlos, aunque no lo quisiera reconocer, lo que más le mortificaba en el fondo de su alma, era la superioridad de Martín, que iba y venía sin reconocer categorías, aspirando a todo y conquistándolo todo.

Aquel granuja de la calle era capaz de subir, de prosperar, de hacerse rico, de casarse con su hermana, y de considerar todo esto lógico, natural... Era una desesperación.

Carlos hubiera gozado conquistando a la Ignacia, abandonándola luego, paseándose desdeñosamente por delante de Martín, y Martín le ganaba la partida sacando a la Ignacia de su alcance y enamorando a su hermana.

¡Un vagabundo, un ladrón, se la había jugado a él, a un hidalgo rico, heredero de una casa solariega! Y lo que era peor, ¡esto no sería más que el principio, el comienzo de su carrera espléndida!

Carlos, mortificado por sus pensamientos, no prestó atención a lo que hablaban; luego oyó un beso y, poco después, las ramas de un árbol que se movían.

Tras de esto se vio bajar un hombre por el tronco de un árbol, se vio que cruzaba la huerta, montaba sobre la tapia y desaparecía.

Se cerró la ventana del cuarto de Catalina, y en el mismo momento Carlos se llevó la mano a la frente y pensó con rabia en la magnífica ocasión perdida. ¡Qué soberbio instante para concluir con aquel hombre que le estorbaba! ¡Un tiro a bocajarro!, y ya aquella mala hierba no crecería más, no ambicionaría más, no intentaría salir de su clase. Si lo mataba, todo el mundo consideraría el suyo un caso de legítima defensa contra un salteador, contra un ladrón.

Al día siguiente, Carlos buscó una escopeta de dos cañones de su padre; la encontró, la limpió a escondidas y la cargó con perdigones loberos. Estuvo vacilando en poner cartuchos con bala, pero como era difícil hacer puntería de noche optó por los perdigones gruesos.

Ni en aquella noche, ni en la siguiente, se presentó Martín; pero cuatro días después Carlos lo sintió en la huerta. Todavía no había salido la luna, y esto salvó al salteador enamorado. Carlos, impaciente, al oír el ruido de las hojas, apuntó y disparó.

Al fogonazo vio a Martín en el tronco del árbol y volvió a disparar.

Se oyó un chillido de mujer y el golpe de un cuerpo en el suelo. La madre de Carlos y las criadas, alarmadas, salieron de sus cuartos gritando, preguntando lo que era. Catalina, pálida como una muerta, no podía hablar de emoción.

Doña Águeda, Carlos y las criadas salieron al jardín. Debajo del árbol, en la tierra y sobre la hierba húmeda, se veían algunas gotas de sangre, pero Martín había huido.

—No tenga usted cuidado, señorita —le dijo a Catalina una de las criadas—. Martín ha podido escapar.

La señora de Ohando, que se enteró de lo ocurrido por su hijo, llamó en su auxilio al cura don Félix para que le aconsejara.

Se intentó hacer comprender a Catalina el absurdo de su propósito, pero la muchacha era tenaz y estaba dispuesta a no ceder.

—Martín ha venido a darme noticias de la Ignacia, y como sabe que no le quieren en la casa, por eso ha saltado la tapia.

Cuando Carlos supo que Martín estaba solamente herido en un brazo y que se paseaba vendado por el pueblo, siendo el héroe, se sintió furioso, pero, por si acaso, no se atrevió a salir a la calle.

Con el atentado, la hostilidad entre Carlos y Catalina, ya existente, se acentuó de tal manera que doña Águeda, para evitar agrias disputas, envió de nuevo a Carlos a Oñate, y ella se dedicó a vigilar a su hija.

LIBRO SEGUNDO
ANDANZAS Y CORRERÍAS

CAPÍTULO I

EN EL QUE SE HABLA DE LOS PRELUDIOS
DE LA ÚLTIMA GUERRA CARLISTA

Hay hombres para quienes la vida es de una facilidad extraordinaria. Son algo así como una esfera que rueda por un plano inclinado, sin tropiezo, sin dificultad alguna.

¿Es talento, es instinto o es suerte? Los propios interesados aseguran ser instinto o talento; sus enemigos dicen casualidad, suerte, y esto es más probable que lo otro, porque hay hombres excelentemente dispuestos para la vida, inteligentes, enérgicos, fuertes y que, sin embargo, no hacen más que detenerse y tropezar en todo.

Un proverbio vasco dice: «El buen valor asusta a la mala suerte». Y esto es verdad a veces..., cuando se tiene buena suerte.

Zalacaín era afortunado; todo lo que intentaba lo llevaba bien. Negocios, contrabando, amores, juego... Su ocupación principal era el comercio de caballos y de mulas, que compraba en Dax y pasaba de contrabando por los Alduides o por Roncesvalles.

Tenía como socio a Capistun el *Americano,* hombre inteligentísimo, ya de edad, a quien todo el mundo llamaba el *Americano,* aunque se sabía que era gascón. Su mote procedía de haber vivido en América mucho tiempo [31].

---

[31]   La denominación «americano» para designar a los indianos vueltos de América es común en amplias zonas del Norte.

Bautista Urbide, antiguo panadero de la tahona de Archipe, formaba muchas veces parte de las expediciones. Lo mismo Capistun que Martín tenían como punto de descanso el pueblo de Zaro, próximo a San Juan de Pie de Puerto, donde vivía la Ignacia con Bautista.

Capistun y Martín conocían, como pocos, los puertos de Ibantelly y de Atchuria, de Alcorrunz y de Larratecoeguia, toda la línea de mugas [32] de Zugarramurdi. Habían recorrido muchas veces los caminos que hay entre Meaca y Urdax, entre Izpegui y San Esteban de Baigorri, entre Biriatu y Endarlaza, entre Elorrieta, la Banca y Berdáriz. En casi todos los pueblos de la frontera vasconavarra, desde Fuenterrabía hasta Valcarlos, tenían algún agente para sus negocios de contrabando. Conocían también, palmo a palmo, las veredas que van por las vertientes del monte Larrun, y no había misterios para ellos hacia el lado este de Navarra, en esas praderas altas, metidas entre los bosques de Irati y de Ori.

La vida de Capistun y Martín era accidentada y peligrosa. Para Martín, la consigna del viejo Tellagorri era la norma de su vida. Cuando se encontraba en una situación apurada, cercado por los carabineros; cuando se perdía en el monte; en medio de la noche; cuando tenía que hacer un esfuerzo sobre sí mismo, recordaba la actitud y la voz del viejo al decir: ¡Firmes! ¡Siempre firmes! Y hacía lo necesario en aquel momento con decisión.

Tenía Martín serenidad y calma. Sabía medir el peligro y ver la situación real de las cosas, sin exageraciones y sin alarmas. Para los negocios y para la guerra el hombre necesita ser frío.

Martín comenzaba a impregnarse del liberalismo francés y a encontrar atrasados y fanáticos a sus paisanos; pero, a pesar de esto, creía que don Carlos [33], en el instante que iniciase la guerra, conseguiría la victoria.

---

[32]   *Muga:* mojón, linde.
[33]   El pretendiente al trono de España, don Carlos de Borbón y Austria de Este (1848-1910), llamado por los carlistas Carlos VII.

En casi todo el mediodía de Francia se creía lo mismo.

El gobierno de la República, los subprefectos y demás funcionarios de la frontera española dejaban pasar a los facciosos; y en los coches de Elizondo, por los Alduides, por San Esteban de Baigorri, por Añoa, viajaban los jefes carlistas, con sus uniformes e insignias de mando.

Martín y Capistun, además de mulas y de caballos, habían llevado a diferentes puntos de Guipúzcoa y de Navarra armas y materias necesarias para la fabricación de pólvora, cartuchos y proyectiles, y hasta llegaron a pasar por la frontera un cañón, de desecho de la guerra francoprusiana, vendido por el Estado francés.

Los comités carlistas funcionaban a la vista de todo el mundo. Generalmente, Martín y Capistun se entendían con el de Bayona; pero algunas veces tuvieron que relacionarse con el de Pau.

Muchas veces habían dejado en manos de jóvenes carlistas, disfrazados de boyerizos, barricas llenas de armas. Los carlistas montaban las barricas en un carro y se internaban en España.

—Es vino de La Rioja —solían decir en broma al llegar a los pueblos, golpeando los toneles, y el alcalde y el secretario, cómplices, los dejaban pasar.

También solían cargar en carros, que cubrían de tejas, plomo en lingotes, que había de servir para fundir balas.

La alusión a la guerra próxima se notaba en una porción de indicios y señales. Curas, alcaldes y *jaunchos* * se preparaban. Muchas veces, al cruzar un pueblo, se oía una voz aguda como de Carnaval, que gritaba en vasco: ¿*Noiz zuazté?* (¿Cuándo os vais?). Lo que quería decir: ¿Cuándo os echáis al campo?

Se cantaba también en Guipúzcoa una canción en vascuence que aludía a la guerra y que se llamaba *Gu guerá* (Nosotros somos).

---

* *Jaunchos:* caciques. *(N. del A.)*

Era así:

UNA VOZ

Bigarren chandan
aditutzendet
ate joca *dan dan.*
Ate onduan
norbait dago ta
galdezazu nordan.

(Por segunda vez oigo que están llamando a la puerta, *dan, dan.* Junto a la puerta hay alguno. Pregunta quién es).

VARIAS VOCES

Ta gu guerá
Ta gu guerá
gabiltzanac
gora berá
etorri nayean onera.

Ta gu guerá
Ta gu guerá
Quirlis Carlos
Carlos Quirlis
Ecarri nayean onerá.

(Nosotros somos, nosotros somos los que andamos de arriba abajo queriendo venir aquí. Nosotros somos, nosotros somos Quirlis Carlos, Carlos Quirlis, queriéndole traer aquí) [34].

Y mientras en las provincias se organizaba y preparaba una guerra feroz y sangrienta, en Madrid, políticos y oradores se dedicaban con fruición a los bellos ejercicios de la retórica.

....

---

[34] En sus Memorias (*O. C.,* VII, pág. 195) recuerda Baroja esta canción, y señala que se cantaba «con aire de habanera».

Un día de mayo fueron Martín, Capistun y Bautista a Vera. La señora de Ohando tenía una casa en el barrio de Alzate y había ido a pasar allí una temporada.

Martín quería hablar con su novia, y Capistun y Bautista le acompañaron. Salieron de Sara y marcharon por un regato hundido hasta salir a Lizuñaga, y de aquí al barrio de Illecueta.

Martín contaba con una de las criadas de Ohando, partidaria suya, y ésta le facilitaba el poder hablar con Catalina. Mientras Martín quedó en Alzate, Capistun y Bautista entraron en Vera.

En aquel mismo momento, don Carlos de Borbón, el pretendiente, llegaba [35] rodeado de un Estado Mayor de generales carlistas y de algunos vandeanos [36] franceses.

Se leyó una alocución patriótica, y después don Carlos, repitiendo el final de la alocución, exclamó:

—Hoy, dos de mayo. ¡Día de fiesta *nasional!* ¡Abaco el extranquero!* [37].

El *extranquero* era Amadeo de Saboya.

Capistun y Bautista anduvieron entre los grupos. Se decía que uno de aquellos caballeros era Cathelineau, el descendiente del célebre general vandeano [38]; se señalaba también al conde de Barrot [39] y a un marqués navarro.

---

[35] El pretendiente don Carlos entró en Vera el 2 de mayo de 1872.

[36] *Vandeanos:* tradicionalistas franceses que, «durante la Revolución, se levantaron en el oeste de Francia contra la república y en defensa de la religión y la monarquía» *(DRAE)*.

[37] No es difícil saber de dónde proviene la información. En un artículo titulado «El sentimiento monárquico de España» e incluido en el volumen *Intermedios* (1931), escribe Baroja: «Hace algunos años, los viejos de Vera de Bidasoa recordaban que cuando el pretendiente entró en la villa el 2 de mayo de 1872, durante el reinado de Amadeo de Saboya, leyó un papel y terminó diciendo: "Hoy, dos de mayo, día de fiesta *nasional. ¡Abaco el extranquero!"»* *(O. C.,* V, pág. 693).

[38] Jacques Cathelineau (1759-1793), jefe vandeano, llamado «el santo de Anjou» por sus partidarios, que llegaron a nombrarle generalísimo del ejército «católico y real».

[39] Odilon Barrot (1791-1873), destacado político de la oposición durante el llamado «Terror blanco», que llegó a ser designado por Thiers (1872) pre-

Cuando llegó Martín a Vera, se encontró la plaza llena de carlistas; Bautista le dijo:

—La guerra ha empezado.

Martín se quedó pensativo.

Volvieron Martín, Capistun y Bautista a Francia por la regata de Sara. Bautista gritaba irónicamente a cada paso: *¡Abaco el extranquero!* Zalacaín pensaba en el giro que tomaría aquella guerra así iniciada y en lo que podría influir en sus amores con Catalina.

———————
sidente del Consejo de Estado. Baroja poseía un retrato de este personaje en su colección de litografías del siglo XIX (véase J. Corrales Egea, *Baroja y Francia,* Madrid, Taurus, 1969, pág. 421).

CAPÍTULO II

CÓMO MARTÍN, BAUTISTA Y CAPISTUN PASARON UNA NOCHE EN EL MONTE

Una noche de invierno marchaban tres hombres, con cuatro magníficas mulas cargadas con grandes fardos. Salidos de Zaro por la tarde, se dirigían hacia los altos del monte Larrun.

Costeando un arroyo que bajaba a unirse con la Nivelle, y cruzando prados, llegaron a una borda, donde se detuvieron a cenar.

Los tres hombres eran Martín Zalacaín, Capistun el gascón y Bautista Urbide. Llevaban una partida de uniformes y de capotes.

El alijo iba consignado a Lesaca, en donde lo recogerían los carlistas.

Después de cenar en la borda, los tres hombres sacaron las mulas y continuaron el viaje, subiendo por el monte Larrun.

Era la noche fría, comenzaba a nevar. En los caminos y sendas, llenos de lodo, se resbalaban los pies; a veces una mula entraba en un charco hasta el vientre, y a fuerza de fuerzas se lograba sacarla del aprieto.

Los animales llevaban mucho peso. Era preciso seguir el camino largo, sin utilizar las veredas, y la marcha se hacía pesada. Al llegar a la cumbre, y al entrar en el puerto, les sorprendió a los viandantes una tempestad de viento y de nieve.

Se encontraban en la misma frontera. La nieve arreciaba; no
era fácil seguir adelante. Los tres hombres detuvieron las mulas, y, mientras quedaba Capistun con ellas, Martín y Bautista
se echaron, uno a un lado y el otro al otro, para ver si encontraban cerca algún refugio, cabaña o choza de pastor.

Zalacaín vio a pocos pasos una casucha de carabineros,
cerrada.

—¡Eup! ¡Eup! —gritó.

No contestó nadie.

Martín empujó la puerta, sujeta con un clavo, y entró dentro
del chozo. Inmediatamente corrió a dar parte a los amigos de
su descubrimiento. Los fardos que llevaban las mulas tenían
mantas, y extendiéndolas y sujetándolas por un extremo en la
choza de los carabineros y por otro en unas ramas, improvisa-
ron un cobertizo para las caballerías.

Puestas en seguridad la carga y las mulas, entraron los tres
en la casa de los carabineros y encendieron una hermosa hoguera. Bautista fabricó en un momento, con fibras de pino,
una antorcha para alumbrar aquel rincón.

Esperaron a que pasara el temporal y se dispusieron los tres
a matar el tiempo junto a la lumbre. Capistun llevaba una cala-
baza llena de aguardiente de Armagnac, y, mezclándolo con
agua que calentaron, bebieron los tres.

Luego, como era natural, hablaron de la guerra. El carlismo
se extendía y marchaba de triunfo en triunfo. En Cataluña y en
el país vasconavarro iba haciendo progresos. La República española era una calamidad. Los periódicos hablaban de asesi-
natos en Málaga, de incendios en Alcoy, de soldados que
desobedecían a los jefes y se negaban a batirse. Era una ver-
güenza.

Los carlistas se apoderaban de una porción de pueblos
abandonados por los liberales. Habían entrado en Estella.

En las dos orillas del Bidasoa, lo mismo en la frontera española que en la francesa, se sentía un gran entusiasmo por la
causa del Pretendiente.

Capistun y Bautista señalaron sus conocidos alistados en la facción. La mayoría eran mozos, pero no faltaban tampoco los viejos. Los fueron citando.

Allá estaban Juan Echeberrigaray, de Ezpeleta; Tomás Albandos, de Añoa; el herrero Lerrumburo, de Zaro; Echebarría, de Irisarri; Galparzasoro, el alpargatero de Urruña; Mearuberry, el carnicero de Ostabat; Miguel Larralde, el de Azcain; Carricaburo, el mozo de un caserío de Arhamus; Chaubandidegui, el hijo del confitero de Azcarat; Peyrohade y Lafourchette, los dos mozos del bazar de Hasparren.

—¡Valientes granujas! —murmuró Martín, que escuchaba.

Capistun y Bautista siguieron su enumeración. Estaban también Bordagorri, el de Meharín; Achucarro, de Urdax; Etchehun, el versolari de Chacxu; Gañecoechia, de Osses; Bishiño, de Azparrain; Listurria, de Briscus; Rebenacq, de Pourtalés, el propietario de Saint-Palais con el barón Lesbas d'Armagnac, de Mauleon; Dechesarry, el sacristán de Biriatu; Guibeleguieta, de Barcus; Iturbide, de Hendaya; Echemendi, el minero de Articuza; Chocoa, el cantero de San Esteban de Baigorri; Garraiz, el cazador de palomas de Echalar; Setoain, el leñador de Esterensuby; Isuribere, el pastor de Urepel, y Chiquierdi, el de Zugarramurdi.

Los vascos, siguiendo las tendencias de su raza, marchaban a defender lo viejo contra lo nuevo. Así habían peleado en la antigüedad contra el romano, contra el godo, contra el árabe, contra el castellano, siempre a favor de la costumbre vieja y en contra de la idea nueva.

Estos aldeanos y viejos hidalgos de Vasconia y de Navarra, esta semiaristocracia campesina de las dos vertientes del Pirineo creían en aquel Borbón vulgar, extranjero y extranjerizado, y estaban dispuestos a morir para satisfacer las ambiciones de un aventurero tan grotesco.

Los legitimistas franceses se lo figuraban como un nuevo Enrique IV [40], y como de allí, del Bearn, salieron en otro tiempo

---

[40]   Enrique IV (1553-1610), primer rey de la dinastía borbónica en Francia, que para serlo tuvo que abjurar públicamente del protestantismo.

los Borbones para reinar en España y en Francia, soñaban con que Carlos VII triunfaría en España, acabaría con la maldita República francesa, daría fueros a Navarra, que sería el centro del mundo, y, además, restablecería el poder político del Papa en Roma.

Zalacaín se sentía muy español, y dijo que los franceses eran unos cochinos, porque debían hacer la guerra en su tierra, si querían.

Capistun, como buen republicano, afirmó que la guerra en todas partes era una barbaridad.

—Paz, paz es lo que se necesita —añadió el gascón—; paz para poder trabajar y vivir.

—¡Ah, la paz! —replicó Martín contradiciéndole—; es mejor la guerra.

—No, no —repuso Capistun—. La guerra es la barbarie, nada más.

Discutieron el asunto; el gascón, como más ilustrado, aducía mejores argumentos, pero Bautista y Martín replicaban:

—Sí, todo eso es verdad; pero también es hermosa la guerra.

Y los dos vascos especificaron lo que ellos consideraban como hermosura. Ambos guardaban en el fondo de su alma un sueño cándido y heroico, infantil y brutal. Se veían los dos por los montes de Navarra y de Guipúzcoa al frente de una partida, viviendo siempre en acecho, en una continua elasticidad de la voluntad, atacando, huyendo, escondiéndose entre las matas, haciendo marchas forzadas, incendiando el caserío enemigo...

¡Y qué alegrías! ¡Qué triunfos! Entrar en las aldeas a caballo, la boina sobre los ojos, el sable al cinto, mientras las campanas tocan en la iglesia. Ver, al huir de una fuerza mayor, cómo aparece entre el verde de las heredades el campanario de la aldea donde se tiene el asilo; defender una trinchera heroicamente y plantar la bandera entre las balas que silban; conservar la serenidad mientras las granadas caen, estallando a pocos pasos, y caracolear en el caballo delante de la partida, marchando todos al compás del tambor...

¡Qué emociones debían de ser aquéllas! Y Bautista y Martín soñaban con el placer de atacar y de huir, de bailar en las fiestas de los pueblos y de robar en los Ayuntamientos, de acechar y de escapar por los senderos húmedos y dormir en una borda [41] sobre una cama de hierba seca...

—¡Barbarie! ¡Barbarie! —replicaba a todo esto el gascón.

—¡Qué barbarie! —exclamó Martín—. ¿Se ha de estar siempre hecho un esclavo, sembrando patatas o cuidando cerdos? Prefiero la guerra.

—¿Y por qué prefieres la guerra? Para robar.

—No hables, Capistun, que eres comerciante.

—¿Y qué?

—Que tú y yo robamos con el libro de cuentas. Entre robar en el camino o robar con el libro de cuentas, prefiero a los que roban en el camino.

—Si el comercio fuera un robo no habría sociedad —repuso el gascón.

—¿Y qué? —dijo Martín.

—Que acabarían las ciudades.

—Para mí las ciudades están hechas por miserables y sirven para que las saqueen los hombres fuertes —dijo Martín con violencia.

—Eso es ser enemigo de la Humanidad.

Martín se encogió de hombros.

Poco después de la medianoche la nieve comenzó a cesar, y Capistun dio la orden de marcha. El cielo había quedado estrellado. Los pies se hundían en la nieve y se sentía un silencio de muerte.

—*Cantats, amics* —dijo el gascón, a quien tanta tristeza y tanto reposo imponían.

—No nos vayan a oír —advirtió Bautista.

---

[41] *Borda:* choza o cabaña que, en el Pirineo, sirve para albergue de pastores y ganado *(DRAE).*

—¡Ca! —y el gascón cantó:

> ¡Oan! ¡Oan! Lus de deuan
> lus de darrer que seguirán.
> Lus de darrer oan, oan,
> que seguirán a trot de can.

(¡Adelante! Adelante, los de delante y los de atrás que seguirán. Los de atrás, adelante, adelante, que seguirán al trote
de can!).

Era esta una vieja canción gascona para medir la marcha;
muy buena para el llano, pero poco oportuna en aquellos veri-
cuetos.

Bautista, animado por el ejemplo del gascón, cantó un zortzico vascofrancés, que decía así:

> Gau erdi da
> errico orenean
> iñon ez da
> arguiric lurrean
> ez diteque
> mendian adi deuzic
> aicearen
> arrabotza baicic.

(Es medianoche en el reloj del pueblo; en ninguna parte hay
luz en la tierra; no se puede, en el monte, oír más que el rumor
estruendoso del viento).

La canción de Bautista era de una salvaje melancolía; Martín lanzó un grito, el *irrintzi,* como una larga carcajada o un
relincho salvaje, terminado en una risa burlona. Capistun,
como protestando, cantó:

> Del castelet a l'aube
> sort Isabeu,
> es blanquette sa raube
> como la neu.

(Del castillete, al alba, sale Isabel; es blanquita su ropa como la nieve).

A Martín y a Bautista no les gustaban las canciones del gascón, que les parecían empalagosas, y a éste tampoco las de sus amigos, a las cuales encontraba siniestras. Discutieron acerca de las excelencias de sus respectivos países, pasando de los cantos populares a hablar de las costumbres y de la riqueza.

Iba a amanecer; comenzaban a acercarse a Vera, cuando se oyeron a lo lejos varios tiros.

—¿Qué pasa aquí? —se preguntaron.

Tras de un instante se volvieron a oír nuevos tiros y un lejano sonido de campanas.

—Hay que ver lo que es.

Decidieron como más práctico que Capistun, con las cuatro mulas, se volviera y se encaminara despacio hacia la choza de carabineros donde habían pasado la noche. Si no ocurría nada en Vera, Bautista y Zalacaín retornarían inmediatamente. Si en dos horas no estaban allá, Capistun debía ganar la frontera y refugiarse en Francia: en Ascaín, en Sara, donde pudiese.

Las mulas volvieron de nuevo camino del puerto, y Zalacaín y su cuñado comenzaron a bajar del monte en línea recta, saltando, deslizándose sobre la nieve, a riesgo de despeñarse. Media hora después entraban en la calle de Alzate, cuyas puertas se veían cerradas.

Llamaron en una posada conocida. Tardaron en abrir, y, al último, el posadero, amedrentado, se presentó en la puerta.

—¿Qué pasa? —preguntó Zalacaín.

—Que ha entrado en Vera otra vez la partida del Cura [42].

Bautista y Martín sabían la reputación del Cura y su enemistad con algunos generales carlistas y convinieron en que era peligroso llevar el alijo a Vera o a Lesaca, mientras anduvieran por allí las gentes del ensotanado cabecilla.

---

[42]   Se refiere al cura Santa Cruz —Manuel Ignacio Santa Cruz Loidi (1842-1926)—, famoso guerrillero que aparecerá poco más adelante.

—Vamos en seguida a darle el aviso a Capistun —dijo Bautista.

—Bueno, vete tú —repuso Martín—; yo te alcanzo en seguida; vete.

—¿Qué vas a hacer?

—Voy a ver si veo a Catalina.

—Yo te esperaré.

Catalina y su madre vivían en una magnífica casa de Alzate. Llamó Martín en ella, y a la criada, que ya le conocía, la dijo:

—¿Está Catalina?

—Sí... Pasa.

Entró en la cocina. Era ésta grande y espaciosa y algo oscura. Alrededor de la ancha campana de la chimenea colgaba una tela blanca planchada sujeta por clavos. Del centro de la campana bajaba una gruesa cadena negra, en cuyo garfio final se enganchaba un caldero. A un lado de la chimenea había un banquillo de piedra, sobre el cual estaban en fila tres herradas, con los aros de hierro brillantes, como si fueran de plata. En las paredes se veían cacerolas de cobre rojizo y todos los chismes de la cocina de la casa, desde las sartenes y cucharas de palo, hasta el calentador, que también figuraba colgado en la pared, como parte integrante de la batería de cocina.

Aquel orden parecía algo absurdo y extraordinario, contrastado con la agitación exterior.

La criada había subido la escalera, y tras de algún tiempo, bajó Catalina, envuelta en un mantón.

—¿Eres tú? —dijo sollozando.

—Sí, ¿qué pasa?

Catalina, llorando, contó que su madre estaba muy enferma, su hermano se había ido con los carlistas y a ella querían meterla en un convento.

—¿Adónde te quieren llevar?

—No sé; todavía no se ha decidido.

—Cuando lo sepas escríbeme.

—Sí, no tengas cuidado. Ahora vete, Martín, porque mi madre habrá oído que estamos hablando, y, como ha sentido los tiros hace poco, está muy alarmada.

Efectivamente, se oyó poco después una voz débil que exclamaba:

—¡Catalina! ¡Catalina! ¿Con quién hablas?

Catalina tendió la mano a Martín, quien la estrechó en sus brazos. Ella apoyó la cabeza en el hombro de su novio y viendo que la volvían a llamar, subió la escalera. Zalacaín la contempló absorto, y luego abrió la puerta de la casa, la cerró despacio y, al encontrarse en la calle, se vio con un espectáculo inesperado. Bautista discutía a gritos con tres hombres armados, que no parecían tener para él muy buenas disposiciones.

—¿Qué pasa? —preguntó Martín.

Pasaba, sencillamente, que aquellos tres individuos eran de la partida del Cura y habían presentado a Bautista Urbide este sencillo dilema:

«O formar parte de la partida o quedar prisionero y recibir, además, de propina una tanda de palos».

Martín iba a lanzarse a defender a su cuñado, cuando vio que a un extremo de la calle aparecían cinco o seis mozos armados. En el otro esperaban diez o doce. Con su rápido instinto de comprender la situación, Martín se dio cuenta de que no había más remedio que someterse, y dijo a Bautista, en vascuence, aparentando gran jovialidad:

—¡Qué demonio, Bautista! ¿No querías tú entrar en una partida? ¿No somos carlistas? Pues ahora estamos a tempo.

Uno de los tres hombres, viendo cómo se explicaba Zalacaín, exclamó satisfecho:

—¡*Arrayua!* Éste es de los nuestros. Venid los dos.

El tal hombre era un aldeano alto, flaco, vestido con un uniforme destrozado y una pipa de barro en la boca. Parecía el jefe, y le llamaban Luschía [43].

---

[43] Personaje real, que formaba parte, en efecto, de la partida del cura Santa Cruz.

Martín y Bautista siguieron a los mozos armados, pasaron de Alzate a Vera y se detuvieron en una casa, en cuya puerta había un centinela.

—¡Bajadlos! ¡Bajadlos! —dijo Luschía a su gente.

Cuatro mozos entraron en el portal y subieron por la escalera.

Luschía, mientras tanto, preguntó a Martín:

—¿Vosotros, de dónde sois?

—De Zaro.

—¿Sois franceses?

—Sí —dijo Bautista.

Martín no quiso decir que él no lo era, sabiendo que el decir que era francés podía protegerle.

—Bueno, bueno —murmuró el jefe.

Los cuatro aldeanos de la partida que habían entrado en la casa trajeron a dos viejos.

—¡Atadlos! —dijo Luschía, el aldeano de la pipa.

Sacaron a la calle un tambor de regimiento y un cesto, y a los dos viejos los ataron.

—¿Qué es lo que han hecho? —preguntó Martín a uno de la partida que llevaba una boina a rayas.

—Que son traidores —contestó éste.

El uno era un maestro de escuela y el otro un ex partidario de la guerrilla del Cura.

Cuando estuvieron las dos víctimas atadas y con las espaldas desnudas, el ejecutor de la justicia, el mozo de la boina a rayas, se remangó el brazo y cogió una vara.

El maestro de escuela, suplicante, imploró:

—¡Pero si todos somos unos!

El ex guerrillero no dijo nada.

No hubo apelación ni misericordia. Al primer golpe, el maestro de escuela perdió el sentido; el otro, el antiguo lugarteniente del Cura, calló y comenzó a recibir los palos con un estoicismo siniestro.

Luschía se puso a hablar con Zalacaín. Éste le contó una porción de mentiras. Entre ellas le dijo que él mismo había guardado cerca de Urdax, en una cueva, más de treinta fusiles modernos. El hombre oía, y, de cuando en cuando, volviéndose al ejecutor de sus órdenes, decía con voz gangosa:

—¡Jo! ¡Jo! (Pega, pega).

Y volvía a caer la vara sobre las espaldas desnudas.

CAPÍTULO III

DE ALGUNOS HOMBRES DECIDIDOS
QUE FORMABAN LA PARTIDA DEL CURA

Concluida la paliza, Luschía dio la orden de marcha, y los quince o veinte hombres tomaron hacia Oyarzun, por el camino que pasa por la cuesta de la Agonía.

La partida iba en dos grupos: en el primero marchaba Martín y en el segundo Bautista.

Ninguno de la partida tenía mal aspecto ni aire patibulario. La mayoría parecían campesinos del país; casi todos llevaban traje negro, boina azul pequeña, y algunos, en vez de botas, calzaban abarcas con pieles de carnero, que les envolvían las piernas.

Luschía, el jefe, era uno de los tenientes del Cura, y, además, capitaneaba su guardia negra. Sin duda, gozaba de la confianza del cabecilla. Era alto, huesudo, de nariz fenomenal, enjuto y seco.

Tenía Luschía una cara que siempre daba la impresión de verla de perfil, y la nuez, puntiaguda.

Parecía buena persona hasta cierto punto, insinuante y jovial. Consideraba, sin duda, una magnífica adquisición la de Zalacaín y Bautista, pero desconfiaba de ellos, y, aunque no como prisioneros, los llevaba separados y no les dejaba hablar a solas.

Luschía tenía también sus lugartenientes: Praschcu, Belcha y el corneta de Lasala[44]. Praschcu era un mocetón grueso, barbudo, sonriente y rojo que, a juzgar por sus palabras, no pensaba más que en comer y en beber bien. Durante el camino no habló más que de guisos y de comidas, de la cena que le quitaron al cura de tal pueblo o al maestro de escuela de tal otro, del cordero asado que comieron en este caserío y de las botellas de sidra que encontraron en una taberna. Para Praschcu la guerra no era más que una serie de comilonas y de borracheras.

Belcha y el corneta de Lasala iban acompañando a Bautista.

A Belcha el *Negrito* le llamaban así por ser pequeño y moreno; el corneta de Lasala ostentaba una cicatriz violácea que le cruzaba la frente. Su apodo procedía de su oficio de capataz, de los que dan la señal para el comienzo y el paro del trabajo con una bocina.

Los de la partida llegaron a medianoche a Arichulegui, un monte cercano a Oyarzun, y entraron en una borda próxima a la ermita.

Esta borda era la guarida del Cura. Allí estaba su depósito de municiones.

El cabecilla no estaba. Guardaba la borda un retén de unos veinte hombres. Se hizo pronto de noche. Zalacaín y Bautista comieron un rancho de habas y durmieron sobre una hermosa cama de heno seco.

---

[44] Baroja tuvo conocimiento oral de la partida de Santa Cruz. En sus Memorias declara: «Recuerdo haber oído a mi padre historias [...] del cura Santa Cruz, de los hermanos Arruti y de Egozcue *el Jabonero*» (*O. C.,* VII, pág. 533). Y en otro lugar detalla: «La partida de Santa Cruz tiene, desde que nace hasta que se extingue, distintos jefes técnicos; primero es Sorceta, hombre intrépido, de talento; después, Juan Egozcue, *el Jabonero;* por último, son Praschcu y el corneta de Lasala [...] En la partida figuran varios pequeños cabecillas. Éstos son: Luschía de Hernani, el maestro de Ibarra, *el Organista, el Estudiante de Lazcano, el Tuerto de Aya,* Ollarra *el Gallo, el Lechuguino de Vera,* Belcha, Errotari, Errotachiqui, el cura Portueche y otros» *(O. C.,* V, pág. 542). Y añade: «yo he interrogado en Vera a varios guerrilleros de su partida».

Al día siguiente, muy de mañana, sintieron los dos que les despertaban de un empujón; se levantaron y oyeron la voz de Luschía:

—¡Hala! Vamos andando.

Era todavía de noche; la partida estuvo lista en un momento. Al mediodía se detuvieron en Fagollaga, y al anochecer llegaban a una venta próxima a Andoaín, en donde hicieron alto. Entraron en la cocina. Según dijo Luschía, allí se encontraba el Cura.

Efectivamente, poco después, Luschía llamó a Zalacaín y a Bautista.

—Pasad —les dijo.

Subieron por la escalera de madera hasta el desván y llamaron en una puerta.

—¿Se puede? —preguntó Luschía.

—Adelante.

Zalacaín, a pesar de ser templado, sintió un ligero estremecimiento en todo el cuerpo, pero se irguió y entró sonriente en el cuarto. Bautista llevaba el ánimo de protestar.

—Yo hablaré —dijo Martín a su cuñado—; tú no digas nada.

A la luz de un farol, se veía un cuarto, de cuyo techo colgaban mazorcas de maíz, y una mesa de pino, a la cual estaban sentados dos hombres. Uno de ellos era el Cura, el otro su teniente, un cabecilla conocido por el apodo del *Jabonero* [45].

—Buenas noches —dijo Zalacaín en vascuence.

—Buenas noches —contestó el *Jabonero* amablemente.

El Cura no contestó. Estaba leyendo un papel.

Era un hombre regordete, más bajo que alto, de tipo insignificante, de unos treinta y tantos años. Lo único que le daba carácter era la mirada, amenazadora, oblicua y dura.

---

[45] En la versión cinematográfica de *Zalacaín,* dirigida en 1929 por Francisco Camacho, Baroja intervino brevemente para desempeñar el papel de Egozcue, *el Jabonero*. Ricardo Baroja interpretó, por su parte, el del viejo Tellagorri (véase la conferencia «*Zalacaín el aventurero,* en film», incorporada al volumen *El nocturno del hermano Beltrán,* Madrid, Caro Raggio, 1929, págs. 248-272; no se recoge en los tomos de *Obras Completas* del escritor).

Al cabo de algunos minutos, el Cura levantó la vista y dijo:

—Buenas noches.

Luego siguió leyendo.

Había en todo aquello algo ensayado para infundir terror. Zalacaín lo comprendió y se mostró indiferente y contempló sin turbarse al Cura. Llevaba éste la boina negra inclinada sobre la frente, como si temiera que le mirasen a los ojos; gastaba barba ya ruda y crecida, el pelo corto, un pañuelo en el cuello, un chaquetón negro con todos los botones abrochados y un garrote entre las piernas [46].

Aquel hombre tenía algo de esa personalidad enigmática de los seres sanguinarios, de los asesinos y de los verdugos; su fama de cruel y de bárbaro se extendía por toda España. Él lo sabía y, probablemente, estaba orgulloso del terror que causaba su nombre. En el fondo era un pobre diablo histérico, enfermo, convencido de su misión providencial. Nacido, según se decía, en el arroyo, en Elduayen, había llegado a ordenarse y a tener un curato en un pueblecito próximo a Tolosa. Un día estaba celebrando misa, cuando fueron a prenderle. Pretextó el Cura el ir a quitarse los hábitos, y se tiró por una ventana y huyó y empezó a organizar su partida.

Aquel hombre siniestro se encontró sorprendido ante la presencia y la serenidad de Zalacaín y de Bautista, y sin mirarles les preguntó:

—¿Sois vascongados?

—Sí —dijo Martín, avanzando.

—¿Qué hacíais?

—Contrabando de armas.

—¿Para quién?

---

[46]   Baroja confiesa haber preguntado por el aspecto físico de Santa Cruz a «muchos que fueron soldados suyos» y haber consultado fotografías: «Santa cruz era alto, corpulento, ancho de hombros. Vestía pantalón claro, chaquetón negro, polainas, pañuelo en el cuello y boina azul. No llevaba armas, y únicamente usaba un palo alto [...] Tiene un rasgo que todos los que le conocieron lo recuerdan: es la mirada baja [...] Este rasgo le caracteriza» (*O. C.,* V, pág. 538). Obsérvese la fidelidad del retrato novelesco.

—Para los carlistas.

—¿Con qué comité os entendíais?

—Con Bayona.

—¿Qué fusiles habéis traído?

—Berdan y Chassepot.

—¿Es verdad que tenéis armas escondidas cerca de Urdax?

—Ahí y en otros puntos.

—¿Para quién las traíais?

—Para los navarros.

—Bueno. Iremos a buscarlas. Si no las encontramos, os fusilaremos.

—Está bien —dijo fríamente Zalacaín.

—Marchaos —repuso el Cura, molesto por no haber intimidado a sus interlocutores.

Al salir, en la escalera, el *Jabonero* se acercó a ellos.

Éste tenía aspecto de militar, de hombre amable y bien educado.

Había sido guardia civil.

—No temáis —dijo—. Si cumplís bien nada os pasará.

—Nada tememos —contestó Martín.

Fueron los tres a la cocina de la posada, y el *Jabonero* se mezcló entre la gente de la partida, que esperaba la cena.

Se reunieron en la misma mesa el *Jabonero,* Luschía, Belcha, el corneta de Lasala y uno gordo a quien llamaban Anchusa.

El *Jabonero* no quiso aceptar en la mesa a Praschcu, porque dijo que si a aquel bárbaro le ponían a comer al principio no dejaba nada a los demás.

Con este motivo, un muchacho joven, ex seminarista, apellidado Dantchari y conocido también por el mote de el *Estudiante,* que formaba parte de la partida, recordó la canción de Vilinch, que se llama la Canción del Potaje, y, como en ella el autor se burla de un cura tragón, tuvo que cantarla en voz baja, para que no se enterara el cabecilla.

El posadero trajo la cena y una porción de botellas de vino y de sidra, y, como la caminata desde Arichulegui hasta allá les había abierto el apetito, se lanzaron sobre las viandas como fieras hambrientas.

Estaban cenando, cuando llamaron a la puerta.

—¿Quién va? —dijo el posadero.

—Yo. Un amigo —contestaron de fuera.

—¿Quién eres tú?

—Ipintza, el *Loco*.

—Pasa.

Se abrió la puerta y entró el viejo mendigo, envuelto en una anguarina parda, con una de las mangas atada y convertida en bolsillo. Dantchari el *Estudiante* le conocía, y dijo que era un vendedor de canciones, a quien tenían por loco porque cantaba y bailaba recitándolas.

Se sentó Ipintza el *Loco* a la mesa, y le dio el posadero las sobras de la cena. Luego se acercó al grupo que formaban los hombres de la partida alrededor de la chimenea.

—¿No queréis alguna canción? —dijo.

—¿Qué canciones tienes? —le preguntó el *Estudiante*.

—Tengo muchas. La de la mujer que se queja del marido, la del marido que se queja de la mujer, Pello Joshepe...

—Todo eso es viejo.

—También tengo Hurra Pepito y la canción entre amo y criado.

—Ésa es liberal —dijo Dantchari.

—No sé —contestó Ipintza el *Loco*.

—¿Cómo que no sabes? Yo creo que tú no eres del todo ortodoxo.

—No sé lo que es eso. ¿No queréis canciones?

—Pero, bueno, contesta. ¿Eres ortodoxo o heterodoxo?

—Ya te he dicho que no sé.

—¿Qué opinas de la Trinidad?

—No sé.

—¿Cómo que no sabes? ¡Y te atreves a decirlo! ¿De dónde procede el Espíritu Santo? ¿Procede del Padre o procede del Hijo, o de los dos? ¿O es que tú crees que su hipóstasis es consustancial con la hipóstasis del Padre o la del Hijo?

—No sé nada de eso. ¿Queréis canciones? ¿No queréis comprar canciones a Ipintza el *Loco*?

—¡Ah! ¿De manera que no contestas? Entonces eres herético. *Anathema sit.* Estás excomulgado.

—¿Yo? ¿Excomulgado? —dijo Ipintza lleno de terror, y retrocedió y enarboló su blanco garrote.

—Bueno, bueno —gritó Luschía al *Estudiante*—. Basta de bromas.

Praschcu echó unas cuantas brazadas de ramas secas. Chisporroteó el fuego alegremente; después, unos se pusieron a jugar al mus, y Bautista lució su magnífica voz cantando varios zorcicos.

Dantchari el *Estudiante* desafió a echar versos a Bautista, y éste aceptó el desafío. Los dos comenzaron con el estribillo:

Orain esango dizut
nie zuri eguia.

(Ahora te diré yo la verdad).

Y la fuerza del consonante les hizo decir una porción de disparates y de astracanadas que produjeron el entusiasmo de la reunión.

Ambos merecieron plácemes y aplausos. Luego Dantchari aseguró que sabía imitar la voz de tiple, y entre Bautista y él cantaron la canción que comienza diciendo:

Marichu, ¿nora zuaz
eder galant ori?

(María, ¿adónde vas tan bonita?).

Bautista, cantando de mozo, y Dantchari, de chica, dirigiéndose preguntas y respuestas de burlona ingenuidad, hicieron las delicias de la concurrencia.

Luego Bautista cantó la bella canción del país de Soul, que dice así:

Urzo churia errazu
Nora yoaten cera zu

> Ezpaniaco mendi guciac
> Elurrez beteac dituzu
> Gaur arratzean ostatu
> Gure echean badezu.

(Paloma blanca, dime adónde vas. Todos los montes de España están llenos de nieve. Si quieres albergue para esta noche, lo tienes en mi casa).

Los de la partida aplaudieron; pero más que esta canción romántica les gustó el dúo anterior, y el *Jabonero,* comprendiéndolo así, compró a Ipintza el *Loco* un papel, que era la letra de la nueva canción de Vilinch [47], llamada *Juana Vishenta Olave,* escrita por el autor, adaptándola a un aire popular titulado *¡Orra, Pepito!*

La canción de Vilinch era un diálogo amoroso entre el propietario de un caserío y la hija del arrendador, a quien trata de conquistar.

El *Estudiante* se puso las enaguas de la posadera y se ató un pañuelo a la cabeza. Bautista se caló un sombrero de copa que alguno encontró, no se sabe dónde, y cantaron ambos el dúo ingenuo de Vilinch, y la algazara fue tan grande que los cantores tuvieron que enmudecer, porque el Cura gritó desde arriba que no le dejaban dormir en paz.

Cada cual fue a acostarse donde pudo, y Martín le dijo a Bautista en francés:

—¡Cuidado, eh! Hay que estar preparados para escapar a la mejor ocasión.

Bautista movió la cabeza afirmativamente, dando a entender que no se olvidaba.

---

[47]   Baroja tuvo siempre gran estima por *Vilinch* (Indalecio Bizcarrondo, 1831-1876): «Era un poeta popular donostiarra de lo mejor que ha habido en el País Vasco. Todas sus canciones son de asuntos humildes [...] Vilinch ha sido en el País Vasco el único poeta moderno auténtico» *(O. C.,* VII, pág. 1273). En otro lugar lo llama «poeta verdadero y auténtico, a pesar de escribir en un idioma de tan pequeña expansión como el vasco» *(O. C.,* VII, pág. 530). *Vilinch* murió a consecuencia de un bombardeo carlista.

CAPÍTULO IV

HISTORIA CASI INVEROSÍMIL DE JOSHÉ CRACASCH

Los dos días siguientes estuvo lloviendo, y se pasó la partida en la venta, haciendo algunos reconocimientos por los alrededores. Ni Zalacaín ni Bautista vieron al Cura. Sin duda, éste no se presentaba más que en las circunstancias graves.

Como era natural entre tanta gente inactiva, se pasaron las horas, al lado del fuego, hablando y contando diversos episodios y aventuras.

Había en la partida un muchacho de Tolosa, muy melancólico, cuyas únicas ocupaciones eran mirarse a un espejito de mano y tocar el acordeón. Este muchacho se llamaba José Cacochipi, y algunos, a sus espaldas, le decían Joshé Cracasch, o sea, en castellano, José Manchas.

Martín y Bautista le preguntaron varias veces qué le pasaba para estar tan triste, si es que le dolían las muelas, si tenía las digestiones lentas, disgustos de familia o algún desorden en la vejiga; a todas estas preguntas contestaba Cacochipi, alias *Cracasch,* diciendo que no le pasaba nada, pero suspiraba como si le ocurrieran todas esas calamidades al mismo tiempo.

Como el tal Cacochipi constituía un misterio, Martín preguntó a Dantchari, el *Estudiante,* si, por ser tolosano, sabía la historia de su conterráneo y amigo, y el ex seminarista dijo:

—Si no le decís nada, os contaré la historia de Joshé, pero habéis de prometerme no burlaros de él.

—No nos burlaremos de él, ni le diremos nada.

Dantchari hablaba en castellano con esa pedantería clásica de los curas y seminaristas, que creen indispensable, para mayor claridad, decir de cuando en cuando alguna palabra en latín entre personas que ignoran en absoluto este idioma.

—Pues habéis de saber —dijo Dantchari— que José Cacochipi, el hijo menor de André Anthoni la confitera, ha sido conocido siempre, *urbi et orbe,* por el apodo de Joshé Cracasch.

Este apodo lo tenía muy merecido, porque Joshé era hace años, y aun hace meses, el mozo más abandonado de la ciudad y de los contornos; así que todo el pueblo, *nemine discrepante,* lo apodaba Cracasch.

Joshé no ha tenido, hasta hace poco, más pasión que la música.

Quisieron hacerle estudiar para cura y ordenarle *in sacris,* pero fue imposible.

Se puede decir de él que es músico *per se* y hombre *per accidens.*

Durante muchos años se ha pasado ocho o nueve horas en el piano, haciendo ejercicios, y, como no ha tenido alma más que para la música, en todo lo demás ha sido un descuidado horrible.

Llevaba el traje lleno de lamparones, la boina sucia, el pelo largo, se olvidaba la corbata. Era una verdadera calamidad.

Por eso se le llamaba Joshé Cracasch, y a él, no sólo no le ofendía el apodo, sino que le hacía gracia; en cambio, su madre, André Anthoni, se ponía como una fiera cuando oía que a su hijo le daban este mote.

Hará un año próximamente que un indiano rico, llamado Arizmendi, y que dicen que ha sido pirata..., yo no lo sé, *relata refero,* llegó al pueblo. Como digo, este señor le preguntó al párroco:

—¿Qué profesor de música le podría yo poner a mi chico?

—El mejor: José Cacochipi —contestó el cura.

Le hablaron a Cracasch, y éste se encogió de hombros y dijo que bueno. Su madre le preparó ropa limpia y le advirtió que tuviera cuidado con lo que decía y que fuera prudente, pues la colocación podía ser un *modus vivendi* para él. Cracasch prometió ser prudentísimo.

Llegó el primer día a casa de Arizmendi, y preguntó por el amo.

Salió a abrirle una muchacha, y, poco después, se presentó un señor. La muchacha le dijo que dejara la boina en el colgador.

—¿Para qué? —replicó Joshé. Y luego, dirigiéndose al señor, le preguntó—: ¿Es la criada, eh?

—No, esta señorita es mi hija —contestó fríamente el señor Arizmendi.

Cracasch comprendió que había dado un tropiezo, y, para enmendarlo, dijo:

—Es muy guapa. ¡Ya se parece a usted, ya!

—No. Si es hijastra mía —contestó el señor Arizmendi.

—Ja, ja..., ¡qué risa...! Ya tendrá novio, ¿eh?

Cacochipi fue a dar en un punto que preocupaba a la familia, pues la muchacha tenía amores, a disgusto de los padres, con un primo.

El señor Arizmendi le dijo que no hiciera más preguntas impertinentes; que ya sabía que era medio bobo, pero que aprendiese a reportarse.

Joshé, muy extrañado con tal exabrupto, fue al cuarto del chico, donde dio su primera lección de solfeo. Aquellas palabras duras del señor Arizmendi, más que ofender, le extrañaron. Joshé no tenía ninguna malicia; toda su vida la había pasado pensando en la música, y de otras cosas nada sabía.

A Cacochipi, que estuvo varias veces invitado a comer con la familia de Arizmendi, le chocaba la tristeza del padre y de la madre y de las hermanas, y quiso alegrarlos un poco; porque, como dice el profano: *Omissis curis, jucunde vivendum esse:* lo cual quiere decir que se debe vivir alegremente y sin cuidados.

Lo primero que se le ocurrió a Cracasch, un día que se le figuró que ya tenía confianza con la familia de Arizmendi, fue, a los postres, imitar el ruido del tren; luego intentó cantar una canción que en la taberna tenía mucho éxito. En esta canción se hace como si se tocara la flauta y el bombo, y como si se comiera en una cazuela, y luego medio se desnuda uno mientras canta. Joshé creía que, cuando él se quitara la chaqueta y el chaleco, toda la familia rompería a reír a carcajadas, pero fue todo lo contrario, porque el señor Arizmendi, mirándole con ojos terribles, le dijo:

—Bueno, Cacochipi: póngase usted el chaleco, y no vuelva usted a quitárselo delante de nosotros.

Joshé se quedó frío, y no precisamente por la falta del chaleco.

—A esta gente no les hace gracia nada —murmuró.

Un día apareció a dar la lección con la cara pintada con varios lunares, y no hizo efecto; otro, ayudado por su discípulo, ató los cubiertos a la mesa..., y nada.

—¿Qué tal, Cracasch? —le preguntaba alguno en la calle—. ¿Cómo va la familia de Arizmendi?

—¡Ah! Es una gente que nada le gusta... —contestaba él—. Se hacen cosas bonitas para divertirles..., y nada.

El día de Carnaval, Joshé Cracasch tuvo una idea de las suyas, y fue convencer a su discípulo para que sacara los trajes de su madre y de una hermana. Se disfrazarían los dos y darían a la familia Arizmendi una broma graciosísima.

—Ahora sí que se van a reír —decía Cacochipi en su interior.

El chico no se anduvo en retóricas, y el domingo de Carnaval tomó los mejores trajes que encontró y fue con ellos a la confitería. Maestro y discípulo se pusieron las prendas femeninas, y, armados de sendas escobas, fueron a la puerta de la iglesia.

Al salir Arizmendi con su mujer y sus hijas de misa, Cacochipi y su discípulo cayeron sobre ellos y les dieron un sinfín de apretones y de golpes; Joshé recordó a Arizmendi que tenía dentadura postiza, a su mujer que se ponía añadidos, y a la hija mayor el novio, con quien había reñido; y, después de otra porción de cosas igualmente oportunas, se marcharon las dos máscaras dando brincos.

Al día siguiente, cuando se presentó en casa de Arizmendi, pensó Cracasch:

—Nada, van a felicitarme por la broma de ayer.

Entró y le pareció que todo el mundo estaba serio. De pronto se le acercó Arizmendi, y con voz más que severa, iracunda, en un terrible *ab irato,* le dijo:

—No vuelva usted a poner los pies en mi casa. ¡Imbécil! Si no fuera usted un idiota, le echaría a puntapiés.

—Pero, ¿por qué? —preguntó Joshé.

—¿Y lo pregunta usted todavía, majadero? Cuando no se sabe portarse como una persona, no se debe alternar con los demás. Yo creía que era usted un estúpido, pero no tanto.

Cacochipi, por primera vez en su vida, se sintió ofendido. Se encerró en su casa y empezó a pensar en la Celedonia, la segunda hija de Arizmendi, y en la voz suave y la *eloquendi suavitatem* con que le saludaba por las mañanas cuando le decía:

—Buenos días, Joshé.

Cacochipi se convenció de que, como le había dicho Arizmendi, era un estúpido y de que, además, estaba enamorado. Estos dos convencimientos le impulsaron a mudarse de traje, a cortarse el pelo, a ponerse una boina nueva y a no permitir que nadie le llamara Cracasch.

—Oye, Cracasch —le decía alguno en la calle.

—¡Hombre! Creo que me has llamado Cracasch —decía él.

—Sí, ¿y qué?

—Que no quiero que me vuelvas a llamar así.

—Pero hombre, Cracasch...

—Toma —y José empezaba a puñetazos y a golpes.

En poco tiempo Joshé borró su apodo de Cracasch. La Celedonia Arizmendi había notado la transformación de Joshé y sabía la parte que en este cambio le correspondía a ella. Joshé veía que la muchacha le miraba con buenos ojos; pero era tan tímido que nunca se hubiera atrevido a decirle nada.

Llevaban sus amores el camino de pasar a la historia sin llegar al primer capítulo, cuando el hijo de un boticario se encargó de darles una solución.

Quería burlarse de Joshé, y escribió una carta de amor grotesca a la hija de Arizmendi, firmando Joshé Cracasch.

La chica le envió la carta a Joshé diciéndole que se querían burlar de él, pero que ella le estimaba y que pasara por delante de su casa, y que hablarían.

Joshé fue y vio a la muchacha, y le dio las buenas tardes y no se le ocurrió más; ella le preguntó si su madre, André Anthoni, estaba buena; él le contestó que sí, y entonces ella le dijo:

—Hasta mañana, Joshé.

—Adiós.

Cacochipi quedó como embobado; necesitaba respirar, tomar aire, y salió de Tolosa y tomó el camino de Anoeta, y pasó Anoeta y luego Irura, y cruzó Villabona, y fue andando, andando, hasta que se topó con la partida del Cura, que iba a conquistar, *viribus et armis,* la gloria. Uno de la partida le dio el alto y le hizo descender de las sublimidades amatorio-musicales en que se hallaba sumido, presentándole el sencillo dilema de recibir una paliza o de venirse con nosotros.

Joshé Cacochipi, por muy aficionado que sea a la música, no ha querido que solfeen sobre él y ya hace un mes que está en la partida.

Tal era la historia de Joshé Cracasch, que contó Dantchari, el *Estudiante,* con algunos latinajos más de los que pone el autor.

CAPÍTULO V

CÓMO LA PARTIDA DEL CURA DETUVO
LA DILIGENCIA CERCA DE ANDOAÍN

Al tercer día de estar en la venta la inacción era grande, y entre el *Jabonero* y Luschía acordaron detener aquella mañana la diligencia que iba desde San Sebastián a Tolosa.

Se dispuso la gente a lo largo del camino, de dos en dos; los más lejanos irían avisando cuando apareciera la diligencia y replegándose junto a la venta.

Martín y Bautista se quedaron con el Cura y el *Jabonero,* porque el cabecilla y su teniente no tenían bastante confianza en ellos.

A eso de las once de la mañana avisaron la llegada del coche. Los hombres que espiaban el paso fueron acercándose a la venta, ocultándose por los lados del camino.

El coche iba casi lleno. El Cura, el *Jabonero* y los siete u ocho hombres que estaban con ellos se plantaron en medio de la carretera.

Al acercarse el coche, el Cura levantó su garrote y gritó:

—¡Alto!

Anchusa y Luschía se agarraron a la cabezada de los caballos y el coche se detuvo.

—¡*Arrayua!* ¡El Cura! —exclamó el cochero en voz alta—. Nos hemos fastidiado.

—Abajo todo el mundo —mandó el Cura.

Egozcue abrió la portezuela de la diligencia. Se oyó en el interior un coro de exclamaciones y de gritos.

—¡Vaya! Bajen ustedes y no alboroten —dijo Egozcue con finura.

Bajaron primero dos campesinos vascongados y un cura; luego, un hombre rubio, al parecer extranjero, y después saltó una muchacha morena, que ayudó a bajar a una señora gruesa, de pelo blanco.

—Pero, Dios mío, ¿adónde nos llevan? —exclamó ésta. Nadie le contestó.

—¡Anchusa! ¡Luschía! Desenganchad los caballos —gritó el Cura—. Ahora, todos a la posada.

Anchusa y Luschía llevaron los caballos y no quedaron con el Cura más que unos ocho hombres, contando con Bautista, Zalacaín y Joshé Cracasch.

—Acompañad a éstos —dijo el cabecilla a dos de sus hombres, señalando a los campesinos y al Cura.

—Vosotros —e indicó a Bautista, Zalacaín, Joshé Cracasch y otros dos hombres armados— id con la señora, la señorita y este viajero.

La señora gruesa lloraba afligida.

—Pero ¿nos van a fusilar? —preguntó gimiendo.

—¡Vamos! ¡Vamos! —dijo uno de los hombres armados, brutalmente.

La señora se arrodilló en el suelo, pidiendo que la dejaran libre.

La señorita, pálida, con los dientes apretados, lanzaba fuego por los ojos. Sin duda, sabía los procedimientos usados por el Cura con las mujeres.

A algunas solía desnudarlas de medio cuerpo arriba, les untaba con miel el pecho y la espalda y las emplumaba; a otras les cortaba el pelo o lo untaba de brea y luego se lo pegaba a la espalda [48].

---

[48]   En el ensayo «El cura Santa Cruz y su partida» (1918), incluido en *Divagaciones apasionadas* (1924), escribe Baroja: «Únicamente se distinguió

—Ande usted, señora —dijo Martín—, que no les pasará nada.

—Pero ¿adónde? —preguntó ella.

—A la posada, que está aquí cerca.

La joven nada dijo, pero lanzó a Martín una mirada de odio y de desprecio.

Las dos mujeres y el extranjero comenzaron a marchar por la carretera.

—Atención, Bautista —dijo Martín en francés—: tú al uno, yo al otro. Cuando no nos vean.

El extranjero, extrañado, en el mismo idioma preguntó:

—¿Qué van ustedes a hacer?

—Escaparnos. Vamos a quitar los fusiles a estos hombres. Ayúdenos usted.

Los dos hombres armados, al oír que se entendían en una lengua que ellos no comprendían, entraron en sospechas.

—¿Qué habláis? —dijo uno, retrocediendo y preparando el fusil.

No tuvo tiempo de hacer nada, porque Martín le dio un garrotazo en el hombro y le hizo tirar el fusil al suelo. Bautista y el extranjero forcejearon con el otro y le quitaron el arma y los cartuchos. Joshé Cracasch estaba como en babia.

Las dos mujeres, viéndose libres, echaron a correr por la carretera en dirección a Hernani. Cracasch las siguió. Éste llevaba una mala escopeta, que podía servir en último caso. El extranjero y Martín tenían cada uno su fusil, pero no contaban más que con pocos cartuchos. A uno de los hombres le habían podido quitar la cartuchera, al otro fue imposible. Éste volaba corriendo a dar parte a los de la partida.

El extranjero, Martín y Bautista corrieron y se reunieron con las dos mujeres y con Joshé Cracasch.

---

por su crueldad y su fanatismo; mandó emplumar y apalear a mujeres [...] Santa Cruz manda apalear a las mujeres y presencia él las palizas; a otras les embetuna el pelo y se lo pega a la espalda» (*O. C.*, V, págs. 537 y 540).

La ventaja que tenían era grande, pero las mujeres corrían poco; en cambio, la gente del Cura en cuatro saltos se plantaría junto a ellos.

—¡Vamos! ¡Ánimo! —decía Martín—. En una hora llegamos.

—No puedo —gemía la señora—. No puedo andar más.

—¡Bautista! —exclamó Martín—. Corre a Hernani, busca gente y tráela. Nosotros nos defenderemos aquí un momento.

—Iré yo —dijo Joshé Cracasch.

—Bueno, entonces deja el fusil y las municiones.

Tiró el músico el fusil y la cartuchera y echó a correr como alma que lleva el diablo.

—No me fío de ese músico simple —murmuró Martín—. Vete tú, Bautista. La lástima es que queda un arma inútil.

—Yo dispararé —dijo la muchacha.

Se volvieron a hacer frente, porque los hombres de la partida se iban acercando.

Silbaban las balas. Se veía una nubecilla blanca, y pasaba al mismo tiempo una bala por encima de las cabezas de los fugitivos. El extranjero, la señorita y Martín se guarecieron cada uno detrás de un árbol y se repartieron los cartuchos. La señora vieja, sollozando, se tiró en la hierba por consejo de Martín.

—¿Es usted buen tirador? —preguntó Zalacaín al extranjero.

—¿Yo? Sí. Bastante regular.

—¿Y usted, señorita?

—También he tirado algunas veces.

Seis hombres se fueron acercando a unos cien metros de donde estaban guarecidos Martín, la señorita y el extranjero. Uno de ellos era Luschía.

—A ese ciudadano le voy a dejar cojo para toda su vida —dijo el extranjero.

Efectivamente, disparó y uno de los hombres cayó al suelo dando gritos.

—Buena puntería —dijo Martín.

—No es mala —contestó fríamente el extranjero.

Los otros cinco hombres recogieron al herido y lo retiraron hacia un declive. Luego, cuatro de ellos, dirigidos por Luschía, dispararon al árbol de donde había salido el tiro. Creían, sin duda, que allí estaban refugiados Martín y Bautista y se fueron acercando al árbol. Entonces disparó Martín e hirió a uno en una mano.

Quedaban sólo tres hábiles, y retrocediendo y arrimándose a los árboles, siguieron haciendo disparos.

—¿Habrá descansado algo su madre? —preguntó Martín a la señorita.

—Sí.

—Que siga huyendo. Vaya usted también.

—No, no.

—No hay que perder tiempo —gritó Martín, dando una patada en el suelo—. Ella sola o con usted. ¡Hala! En seguida.

La señorita dejó el fusil a Martín, y, en unión de su madre, comenzó a marchar por la carretera.

El extranjero y Martín esperaron; luego fueron retrocediendo sin disparar, hasta que, al llegar a una vuelta del camino, comenzaron a correr con toda la fuerza de sus piernas. Pronto se reunieron con la señora y su hija.

La carrera terminó a la media hora, al oír que las balas comenzaban a silbar por encima de sus cabezas.

Allí no había árboles donde guarecerse, pero sí unos montones de piedra machacada para el lecho de la carretera, y en uno de ellos se tendió Martín y en el otro el extranjero. La señora y su hija se echaron en el suelo.

Al poco tiempo aparecieron varios hombres; sin duda, ninguno quería acercarse, y llevaban la idea de rodear a los fugitivos y de cogerlos entre dos fuegos.

Cuatro hombres fueron a campo traviesa por entre maizales, por un lado de la carretera, mientras otros cuatro avanzaban por otro lado, entre manzanos.

—Si Bautista no viene pronto con gente, creo que nos vamos a ver apurados —exclamó Martín.

La señora, al oírle, lanzó nuevos gemidos y comenzó a lamentarse, con grandes sollozos, de haber escapado.

El extranjero sacó el reloj y murmuró:

—Tenía tiempo. No habrá encontrado nadie.

—Eso debe ser —dijo Martín.

—Veremos si aquí podemos resistir algo —repuso el extranjero.

—¡Hermoso día! —murmuró Martín.

—La verdad es que un día tan hermoso convida a todo, hasta que le peguen a uno un tiro.

—Por si acaso, habrá que evitarlo en lo posible.

Dos o tres balas pasaron silbando y fueron a estrellarse en el suelo.

—¡Rendíos! —dijo la voz de Belcha, por entre unos manzanos.

—Venid a cogernos —gritó Martín, y vio que uno le apuntaba en el monte, desde cerca de un árbol; él apuntó a su vez, y los dos tiros sonaron casi simultáneamente. Al poco tiempo el hombre volvió a aparecer más cerca, escondido entre unos helechos, y disparó sobre Martín.

Éste sintió un golpe en el muslo y comprendió que estaba herido. Se llevó la mano al sitio de la herida y notó una cosa tibia. Era sangre. Con la mano ensangrentada cogió el fusil, y, apoyándose en las piedras, apuntó y disparó. Luego sintió que se le iban las fuerzas, al perder la sangre, y cayó desmayado.

El extranjero aguardó un momento; pero en aquel instante una compañía de miqueletes [49] avanzaba por la carretera, corriendo y haciendo disparos, y la gente del Cura se retiraba.

---

[49] *Miqueletes:* miembros de la milicia foral guipuzcoana.

CAPÍTULO VI

CÓMO CUIDÓ LA SEÑORITA DE BRIONES
A MARTÍN ZALACAÍN

Cuando de nuevo pudo darse Martín Zalacaín cuenta de que vivía, se encontró en la cama, entre cortinas tupidas.

Hizo un esfuerzo para moverse y se sintió muy débil y con un ligero dolor en el muslo.

Recordó vagamente lo pasado, la lucha en la carretera, y quiso saber dónde estaba.

—¡Eh! —gritó con voz apagada.

Las cortinas se abrieron y una cara morena, de ojos negros, apareció entre ellas.

—Por fin. ¡Ya se ha despertado usted!

—Sí. ¿Dónde me han traído?

—Luego le contaré a usted todo —dijo la muchacha morena.

—¿Estoy prisionero?

—No, no; está usted aquí en seguridad.

—¿En qué pueblo?

—En Hernani.

—¡Ah!, vamos. ¿No me podrían abrir esas cortinas?

—No; por ahora, no. Dentro de un momento vendrá el médico, y si le encuentra a usted bien abriremos las cortinas y le permitiremos hablar. Conque ahora siga usted durmiendo.

Martín sentía la cabeza débil y no le costó mucho trabajo seguir el consejo de la muchacha.

Al mediodía llegó el médico, que reconoció a Martín la herida, le tomó el pulso y dijo:

—Ya puede empezar a comer.

—¿Y le dejaremos hablar, doctor? —preguntó la muchacha.

—Sí.

Se fue el doctor y la muchacha de los ojos negros descorrió las cortinas, y Martín se encontró en una habitación grande, algo baja de techo, por cuya ventana entraba un dorado sol de invierno. Pocos instantes después apareció Bautista en el cuarto, de puntillas.

—¡Hola, Bautista! —dijo Martín burlonamente—. ¿Qué te ha parecido nuestra primera aventura de guerra, eh?

—¡Hombre! A mí, bien —contestó el cuñado—. A ti quizá no te haya parecido tan bien.

—¡Psch! Ya hemos salido de ésta.

La muchacha de los ojos negros, a quien al principio no reconoció Martín, era la señorita a quien habían hecho bajar del coche los de la partida del Cura y después se había fugado con ellos, en compañía de su madre.

Esta señorita le contó a Martín cómo le llevaron hasta Hernani y le extrajeron la bala.

—Y yo no me he dado cuenta de todo esto —dijo Martín—. ¿Cuánto tiempo llevo en la cama?

—Cuatro días ha estado usted con una fiebre altísima.

—¿Cuatro días?

—Sí.

—Por eso estoy rendido. ¿Y su madre de usted?

—También ha estado enferma, pero ya se levanta.

—Me alegro mucho. ¿Sabe usted? Es raro —dijo Martín—; no me parece usted la misma que vino en la carretera con nosotros.

—¿No?

—No.

—¿Y por qué?

—Le brillaban a usted los ojos de una manera tan rara, así como dura...

—¿Y ahora, no?

—Ahora, no; ahora me parecen sus ojos muy suaves.

La muchacha se ruborizó, sonriendo.

—La verdad es —dijo Bautista— que has tenido suerte. Esta señorita te ha cuidado como a un rey.

—¿Qué menos podía hacer por uno de nuestros salvadores? —exclamó ella, ocultando su confusión—. ¡Oh, pero no hable usted tanto! Para el primer día es demasiado.

—Una pregunta sólo —dijo Martín.

—Veamos la pregunta —contestó ella.

—Quisiera saber cómo se llama usted.

—Rosa Briones.

—Muchas gracias, señorita Rosa —murmuró.

—¡Oh! No me llame usted señorita. Llámeme usted Rosa o Rosita, como me dicen en casa.

—Es que yo no soy caballero —repuso Martín.

—Pues si usted no es caballero, ¿quién lo será? —dijo ella.

Martín se sintió halagado, y como Rosa le indicó que callara, llevándose el dedo a los labios, cerró los ojos...

La convalecencia de Martín fue muy rápida; tanto, que a él le pareció que se curaba demasiado pronto.

Bautista, al ver a su cuñado en vísperas de levantarse y en buenas manos, como dijo algo irónicamente, se fue a Francia a reunirse con Capistun y a seguir con los negocios.

Martín pudo tomar Hernani por una Capua, una Capua espiritual [50].

Rosita Briones y su madre, doña Pepita, le mimaban y le halagaban.

De conocerlo, Martín hubiera podido recitar, refiriéndose a él mismo, el romance antiguo de Lanzarote:

---

[50] En la Capua descansó Aníbal durante el invierno tras su victoria de Cannas, y de este hecho deriva la leyenda de las «delicias de Capua» atribuida al general cartaginés (véase otra alusión similar, referida a unos estudiantes que «se figuraban vivir en Capua», en *La sensualidad pervertida,* III, II).

Nunca fuera caballero
de damas tan bien servido
como fuera Lanzarote
cuando de su aldea vino[51].

Rosita, durante la convalecencia, tuvo largas conversaciones con Martín. Era de Logroño, donde vivía con su madre. Doña Pepita era la causante de la desdichada aventura. A ella se le ocurrió ir a Villabona, para ver a su hijo, que le habían dicho que se encontraba herido en este pueblo. Afortunadamente, la noticia era falsa.

Doña Pepita, la madre de Rosita, era una señora romántica, con unas ideas absurdas. Adoraba a su hijo, vivía temblando de que le pasara algo; pero, a pesar de todo, había querido que fuera militar. Al decidir la aventura que terminó con la detención de la diligencia, y al oír las observaciones de su hija al malhadado proyecto, había contestado:

—Los carlistas son españoles y caballeros y no pueden hacer daño a unas señoras.

A pesar de esta imposibilidad, estuvieron las dos a punto de ser emplumadas o apaleadas por la gente del Cura.

Martín llegó a convencerse de que la buena señora tenía una imposibilidad irreductible para enterarse de las cosas. Lo veía todo a su gusto y se convencía de que los hechos eran como se los había pintado su fantasía. Si de la madre, cualquiera hubiese dicho que le faltaba un tornillo, no podía decirse lo mismo de su hija. Ésta era lista y avispada como pocas; tenía un juicio rápido, seguro y claro.

Muchas veces, para distraer al herido, Rosa le leyó novelas de Dumas y poesías de Bécquer[52]. Martín nunca había oído

---

[51]   Nuevo indicio del tinte épico que Baroja trata de conferir a la novela, como otros ya señalados en la Introducción. El texto del romance dice «cuando de Bretaña vino». Se ha cruzado aquí sin duda, en la memoria de Baroja, la deformación puesta en boca de don Quijote (I, II): «... como fuera Don Quijote / cuando de su aldea vino».

[52]   Lecturas del Baroja adolescente.

versos y le hicieron un efecto admirable; pero lo que más le sorprendió fue la discreción de los comentarios de Rosita. No se le escapaba nada.

Pronto Martín pudo levantarse y, cojeando, andar por la casa. Un día que contaba su vida y sus aventuras, Rosita le preguntó, de pronto:

—¿Y Catalina, quién es? ¿Es su novia de usted?

—Sí. ¿Cómo lo sabe usted?

—Porque ha hablado usted mucho de ella durante el delirio.

—¡Ah!

—¿Y es guapa?

—¿Quién?

—Su novia.

—Sí, creo que sí.

—¿Cómo? ¿Cree usted nada más?

—Es que la conozco desde chico y estoy tan acostumbrado a verla, que casi no sé cómo es.

—¿Pero no está usted enamorado de ella?

—No sé, la verdad.

—¡Qué cosa más rara! ¿Qué tipo tiene?

—Es así..., algo rubia...

—¿Y tiene hermosos ojos?

—No tanto como usted —dijo Martín.

A Rosita Briones le centellearon los ojos y envolvió a Martín en una de sus miradas enigmáticas.

Una tarde se presentó en Hernani el hermano de Rosita.

Era un joven fino, atento, pero poco comunicativo.

Doña Pepita le puso a Zalacaín delante de su hijo como un salvador, como un héroe.

Al día siguiente, Rosita y su madre iban a San Sebastián, para marcharse desde allí a Logroño.

Les acompañó Martín, y su despedida fue muy afectuosa. Doña Pepita le abrazó y Rosita le estrechó la mano varias veces y le dijo imperiosamente:

—Vaya usted a vernos.

—Sí, ya iré.

—Pero que sea de veras.

Los ojos de Rosita prometían mucho.

Al marcharse madre e hija, Martín pareció despertar de un sueño; se acordó de sus negocios, de su vida, y, sin pérdida de tiempo, se fue a Francia.

CAPÍTULO VII

CÓMO MARTÍN ZALACAÍN BUSCÓ NUEVAS AVENTURAS

Una noche de invierno llovía en las calles de San Juan de Luz; algún mechero de gas temblaba a impulsos del viento, y de las puertas de las tabernas salían voces y sonidos de acordeones. En Socoa, que es el puerto de San Juan de Luz, en una taberna de marineros, cuatro hombres, sentados en una mesa, charlaban. De cuando en cuando, uno de ellos abría la puerta de la taberna, avanzaba en el muelle, silencioso, miraba al mar y, al volver, decía:

—Nada, la *Flèche* no viene aún.

El viento silbaba en bocanadas furiosas sobre la noche y el mar negros, y se oía el ruido de las olas azotando la pared del muelle.

En la taberna, Martín, Bautista, Capistun y un hombre viejo, a quien llamaban Ospitalech, hablaban; hablaban de la guerra carlista, que seguía, como una enfermedad crónica, sin resolverse.

—La guerra acaba —dijo Martín.

—¿Tú crees? —preguntó el viejo Ospitalech.

—Sí, esto marcha mal, y yo me alegro —dijo Capistun.

—No, todavía hay esperanza —repuso Ospitalech.

—El bombardeo de Irún [53] ha sido un fracaso completo para los carlistas —dijo Martín—. ¡Y qué esperanzas tenían todos

---

[53] En otoño de 1874.

estos legitimistas franceses! Hasta los hermanos de la Doctrina Cristiana habían dado vacaciones a los niños para que fuesen a la frontera a ver el espectáculo. ¡Canallas! Y ahí vimos a ese arrogante don Carlos, con sus terribles batallones, echando granadas y granadas, para tener luego que escaparse corriendo hasta Vera.

—Si la guerra se pierde, nos arruinamos —murmuró Ospitalech.

Capistun estaba tranquilo, pensaba retirarse a vivir a su país; Bautista, con las ganancias del contrabando, había extendido sus tierras. De los tres, Zalacaín no estaba contento. Si no le hubiese retenido el pensamiento de encontrar a Catalina, se hubiera ido a América.

Llevaba ya más de un año sin saber nada de su novia; en Urbía se ignoraba su paradero; se decía que doña Águeda había muerto, pero no se hallaba confirmada la noticia.

De estos cuatro hombres de la taberna de Socoa, los dos contentos, Bautista y Capistun, charlaban; los otros dos rabiaban y se miraban sin hablarse. Afuera llovía y venteaba.

—¿Alguno de vosotros se encargaría de un negocio difícil en que hay que exponer la pelleja? —preguntó de pronto Ospitalech.

—Yo no —dijo Capistun.

—Ni yo —contestó distraídamente Bautista.

—¿De qué se trata? —preguntó Martín.

—Se trata de hacer un recorrido por entre las filas carlistas y conseguir que varios generales y, además, el mismo don Carlos, firmen unas letras.

—¡Demonio! No es fácil la cosa —exclamó Zalacaín.

—Ya lo sé que no; pero se pagaría bien.

—¿Cuánto?

—El patrón ha dicho que daría el veinte por ciento si le trajeran las letras firmadas.

—¿Y a cuánto asciende el valor de las letras?

—¿A cuánto? No sé de seguro la cantidad. ¿Pero es que tú irías?

—¿Por qué no? Si se gana mucho...

—Pues, entonces, espera un momento. Parece que llega el barco; luego hablaremos.

Efectivamente, se había oído en medio de la noche un agudo silbido. Los cuatro salieron al puerto, y se oyó el ruido de las aguas removidas por una hélice, y luego aparecieron unos marineros en la escalera del muelle que sujetaron la amarra en un poste.

—¡Eup! Manisch —gritó Ospitalech.

—¡Eup! —contestaron desde el mar.

—¿Todo bien?

—Todo bien —respondió la voz.

—Bueno, entremos —añadió Ospitalech—, que la noche está de perros.

Volvieron a meterse en la taberna los cuatro hombres, y poco después se unieron a ellos Manisch, el patrón del barco la *Flèche,* que al entrar se quitó el sudeste, y dos marineros más.

—¿De manera que tú estás dispuesto a encargarte de ese asunto? —preguntó Ospitalech a Martín.

—Sí.

—¿Solo?

—Solo.

—Bueno, vamos a dormir. Por la mañana iremos a ver al principal y te dirá lo que se puede ganar.

Los marineros de la *Flèche* comenzaban a beber, y uno de ellos cantaba, entre gritos y patadas, la canción de «Les matelots de la Belle Eugénie».

Al día siguiente, muy temprano, se levantó Martín, y con Ospitalech tomó el tren para Bayona. Fueron los dos a casa de un judío que se llamaba Levi-Álvarez. Era este un hombre bajito, entre rubio y canoso, con la nariz arqueada, el bigote blanco y los anteojos de oro. Ospitalech era dependiente del señor Levi-Álvarez, y contó a su principal cómo Martín se brindaba a realizar la expedición difícil de entrar en el campo carlista para volver con las letras firmadas.

—¿Cuánto quiere usted por eso? —preguntó Levi-Álvarez.

—El veinte por ciento.

—¡Caramba! Es mucho.

—Está bien, no hablemos; me voy.

—Espere usted. ¿Sabe usted que las letras ascienden a ciento veinte mil duros? El veinte por ciento sería una cantidad enorme.

—Es lo que me ha ofrecido Ospitalech. Eso o nada.

—¡Qué barbaridad! No tiene usted consideración...

—Es mi última palabra. Eso o nada.

—Bueno, bueno. Está bien. ¿Sabe usted que si tiene suerte se va usted a ganar veinticuatro mil duros...?

—Y si no, me pegarán un tiro.

—Exacto. ¿Acepta usted?

—Sí, señor, acepto.

—Bueno. Entonces estamos conformes.

—Pero yo exijo que usted me formalice este contrato por escrito —dijo Martín.

—No tengo inconveniente.

El judío quedó un poco perplejo y, después de vacilar un poco, preguntó:

—¿Cómo quiere usted que lo haga?

—En pagarés de mil duros cada uno.

El judío, después de vacilar, llenó los pagarés y puso los sellos.

—Si cobra usted —advirtió—, de cada pueblo me puede usted ir enviando las letras.

—¿No las podría depositar en los pueblos en casa del notario?

—Sí, es mejor. Un consejo. En Estella no vaya usted donde el ministro de la Guerra. Preséntese usted al general en jefe y le entrega usted las cartas.

—Eso haré.

—Entonces, adiós, y buena suerte.

Martín fue a casa de un notario de Bayona, le preguntó si los pagarés estaban en regla, y habiéndole dicho que sí, los depositó bajo recibo.

El mismo día se fue a Zaro.

—Guardadme este papel —dijo a Bautista y a su hermana, dándoles el recibo—. Yo me voy.

—¿Adónde vas? —preguntó Bautista.

Martín le explicó sus proyectos.

—Eso es un disparate —dijo Bautista—, te van a matar.

—¡Ca!

—Cualquiera de la partida del Cura que te vea te denuncia.

—No está ninguno en España. La mayoría andan por Buenos Aires. Algunos los tienes por aquí, por Francia, trabajando.

—No importa, es una barbaridad lo que quieres hacer.

—¡Hombre! Yo no obligo a nadie a que venga conmigo —dijo Martín.

—Es que si tú crees que eres el único capaz de hacer eso, estás equivocado —replicó Bautista—. Yo voy donde otro vaya.

—No digo que no.

—Pero parece que dudas.

—No, hombre, no.

—Sí, sí, y para que veas que no hay tal cosa te voy a acompañar. No se dirá que un vascofrancés no se atreve a ir donde vaya un vascoespañol.

—Pero, hombre, tú estás casado —repuso Martín.

—No importa.

—Bueno, ya veo que lo que tú quieres es acompañarme. Iremos juntos, y si conseguimos traer las letras firmadas te daré algo.

—¿Cuánto?

—Ya veremos.

—¡Qué granuja eres! —exclamó Bautista—. ¿Para qué quieres tanto dinero?

—¿Qué sé yo? Ya veremos. Yo tengo en la cabeza algo. ¿Qué? No lo sé, pero sirvo para alguna cosa. Es una idea que se me ha metido en la cabeza hace poco.

—¿Qué demonio de ambición tienes?

—No sé, chico, no sé —contestó Martín—; pero hay gente que se considera como un cacharro viejo, que lo mismo puede servir de taza que de escupidera. Yo, no; yo siento en mí, aquí dentro, algo duro y fuerte...; no sé explicarme.

A Bautista le extrañaba esta ambición oscura de Martín, porque él era claro y ordenado y sabía muy bien lo que quería.

Dejaron esta cuestión y hablaron del recorrido que tenían que hacer.

Éste comenzaría yendo en el vaporcito la *Flèche* a Zumaya, y siguiendo de aquí a Azpeitia; de Azpeitia a Tolosa, y de Tolosa a Estella. Para no llevar la lista de todas las personas a quienes tenían que ver y estar consultando a cada paso, lo que podía comprometerles, Bautista, que tenía magnífica memoria, se la aprendió de corrido; cosieron las letras entre el cuero de las polainas, y por la noche se embarcaron.

Entraron en el vaporcito de la *Flèche,* en Socoa, y se echaron al mar. Bautista y Zalacaín pasaron la travesía metidos en un camarote pequeño, dando tumbos.

Al amanecer, el piloto vio hacia el cabo de Machichaco un barco que le pareció de guerra, y forzando la marcha entró en Zumaya.

Varias compañías carlistas salieron al puerto dispuestas a comenzar el fuego, pero cuando reconocieron el barco francés se tranquilizaron. Después de desembarcar, la memoria admirable de Bautista indicó las personas a quienes tenían que visitar en este pueblo. Eran tres o cuatro comerciantes. Los buscaron, firmaron las letras, compraron los viajeros dos caballos, se agenciaron un salvoconducto, y por la tarde, después de comer, Martín y Bautista se encaminaron por la carretera de Cestona.

Pasaron por el pueblecito de Oiquina, constituido por unos cuantos caseríos colocados al borde del río Urola; luego por Aizarnazabal, y en la venta de Iraeta, cerca del puente, se detuvieron a cenar.

La noche se echó pronto encima. Cenaron Martín y Bautista y discutieron si sería mejor quedarse allí o seguir adelante, y optaron por esto último.

Montaron en sus jamelgos, y, al echar a andar, vieron que de una casa próxima al puente de Iraeta salía un coche, arrastrado por cuatro caballos. El coche comenzó a subir el camino de Cestona al trote. Este trozo de camino, desde Iraeta a Cestona, pasa entre dos montes y tiene en el fondo el río. De noche, sobre todo, el tal paraje es triste y siniestro.

Martín y Bautista, por ese sentimiento de fraternidad que se siente en las carreteras solitarias, quisieron acercarse al coche y ponerse al habla con el cochero; pero, sin duda, el cochero tenía razones para no querer compañía, porque, al notar que le seguían, puso los caballos al trote largo, y luego los hizo galopar.

Así, el coche delante, y Martín y Bautista detrás, subieron a Cestona; y, al llegar aquí, el coche dio una vuelta rápida, y, poco después, echó un fardo al suelo.

—Es algún contrabandista —dijo Martín.

Efectivamente, lo era; hablaron con él, y el hombre les confesó que había estado dispuesto a dispararles, al ver que le perseguían [54]. Marcharon los tres a la posada, ya hechos amigos, y Martín fue a ver a un confitero carlista de la calle Mayor.

Durmieron en la posada de Blas, y, muy de mañana, Zalacaín y Bautista se prepararon a seguir su camino.

Era el día lluvioso y frío; la carretera, amarillenta, llena de baches, ondulaba por entre campos verdes; no se veía el monte Itzarroiz, envuelto entre la bruma. El río, crecido, iba de color de ocre. Se detuvieron en Lasao, en la posesión de un barón

---

[54]   También aquí se reelabora una de las «pequeñas aventuras» —como dice Baroja— de la estancia del novelista en Cestona: «Una noche que iba con un caballo [...] vi una galera pequeña con toldo, y tres caballos, que marchaba muy de prisa en dirección a Cestona [...] Se me ocurrió acercarme al vehículo e ir paralelamente a él; pero el cochero [...] empezó a azotar a sus animales y a marchar con una velocidad extraordinaria. Yo [...] azucé también a mi caballo y me puse a galopar detrás del carro [...] Al llegar a la entrada del pueblo, el carro echó a la carretera un bulto [...] Sin duda, se trataba de un asunto de contrabando, y el cochero había pensado que yo le seguía. Después me dijeron [...] que [...] había estado a punto de dispararme» (*O. C.,* VII, pág. 620).

carlista, a hacer que su administrador firmara un documento, y siguieron bordeando el Urola hasta Azpeitia.

Aquí el trabajo era bastante grande, y tardaron en terminarlo. Al anochecer estuvieron ya libres, y, como preferían no quedarse en pueblos grandes, tomaron un camino de herradura que subía al monte Hernio y fueron a dormir a una aldea llamada Regil.

El tercer día, de Regil cogieron el camino de Vidania, y llegaron a Tolosa, en donde estuvieron unas horas.

De Tolosa fueron a dormir a un pueblo próximo. Les dijeron que por allá andaba una partida y prefirieron seguir adelante. Esta partida, días antes, había apaleado bárbaramente a unas muchachas, porque no quisieron bailar con unos cuantos de aquellos forajidos. Dejaron el pueblo, y, unas veces al trote y otras al paso, llegaron hasta Amézqueta, en donde se detuvieron.

CAPÍTULO VIII

VARIAS ANÉCDOTAS DE FERNANDO DE AMÉZQUETA Y LLEGADA A ESTELLA

En Amézqueta entraron en la posada próxima al juego de pelota. Llovía, hacía frío y se refugiaron al lado de la lumbre.

Había entre los reunidos en la venta un campesino chusco que se puso a contar historias. El campesino, al entrar otros dos en la cocina, sacó su gran pañuelo a cuadros y comenzó a dar con él en las mesas y en las sillas, como si estuviera espantando moscas.

—¿Qué hay? —le dijo Martín—. ¿Qué hace usted?

—Estas moscas fastidiosas —contestó el campesino seriamente.

—Pero si no hay moscas.

—Sí, las hay, sí —replicó el hombre, dando de nuevo con el pañuelo.

El posadero advirtió, riendo, a Martín y a Bautista que, como en Amézqueta había tantas moscas de macho, a los del pueblo les llamaban, en broma, *euliyac* (las moscas), y que por eso el tipo aquel chistoso sacudía las mesas y las sillas con el pañuelo al entrar dos amezquetanos.

Rieron Martín y Bautista, y el campesino contó una porción de historias y de anécdotas.

—Yo no sé contar nada —dijo el hombre varias veces—. ¡Si estuviera *Pernando!*

—¿Y quién era *Pernando*? —preguntó Martín.

—¿No habéis oído vosotros hablar de *Pernando* de Amézqueta?

—No.

—¡Ah! Pues era el hombre más gracioso de toda esta provincia. ¡Las cosas que contaba aquel hombre! [55].

Martín y Bautista le instaron para que contara alguna historia de Fernando de Amézqueta; pero el campesino se resistía, porque aseguraba que oírle a él contar estas chuscadas no daba más que una pálida idea de las salidas de Fernando.

Sin embargo, a instancias de los dos, el campesino contó esta anécdota en vascuence:

«Un día, Fernando fue a casa del señor cura de Amézqueta, que era amigo suyo y le convidaba a comer con frecuencia. Al entrar en la casa, husmeó en la cocina, y vio que el ama estaba limpiando dos truchas: una, hermosa, de cuatro libras lo menos, y la otra, pequeñita, que apenas tenía carne. Pasó Fernando a ver al señor cura, y éste, según su costumbre, le convidó a comer. Se sentaron a la mesa el señor cura y Fernando. Sacaron dos sopas, y Fernando comió de las dos; luego sacaron el cocido; después una fuente de berzas con morcilla, y, al llegar al principio, Fernando se encontró con que, en vez de poner la trucha grande, la condenada del ama había puesto la pequeña, que no tenía más que raspa.

»—¡Hombre, trucha! —exclamó Fernando—. Le voy a hacer una pregunta.

»—¿Qué le vas a preguntar? —dijo el cura riendo, en espera de un chiste.

»—Le voy a preguntar a ver si por los demás peces que ha conocido se ha enterado algo de cómo están mis parientes al

---

[55] Baroja evoca la figura de Fernando de Amézqueta en sus *Memorias* y reproduce algunas anécdotas que se atribuyen a este singular personaje «que se llamaba de apellido Bengoechea, que había nacido a mediados del siglo XVIII y muerto en tiempos de la expedición de los Cien Mil Hijos de San Luis» *(O. C., VII, pág. 1271).*

otro lado del mar, allí en América. Porque estas truchas saben mucho.

»—Hombre, sí, pregúntale.

»Cogió Fernando la fuente en donde estaba la trucha y se la puso delante, luego acercó el oído muy serio y escuchó.

»—Qué, ¿contesta algo? —dijo burlonamente el ama del cura.

»—Sí, ya va contestando, ya va contestando.

»—¿Y qué dice? ¿Qué dice? —preguntó el cura.

»—Pues dice —contestó Fernando— que es muy pequeña; pero que ahí, en esa despensa, hay guardada una trucha muy grande y que ella debe de saber mejores noticias de mis parientes» [56].

Una muchacha que estaba en la cocina, al oír la anécdota, se echó a reír con una risa aguda, y comunicó su risa a todos.

Rieron también, de buena gana, Martín y Bautista la manera de señalar [57] del truhán, pero el campesino aseguró que él no tenía arte para estos cuentos.

Le instaron para que siguiera y el hombre contó una nueva ocurrencia de *Pernando:*

«Otra vez —dijo— fue a Idiazábal, donde había un partido de pelota, y llegó tarde a la posada, cuando ya todos estaban sentados. El amo le dijo:

---

[56] H. Peseux-Richard, en su artículo «Un romancier espagnol: Pío Baroja» *(Revue Hispanique,* XXIII, 1910, pág. 130), señaló que esta anécdota se hallaba ya recogida en el *Fabulario* (1613) de Sebastián Mey. Baroja confiesa su reacción al conocer el dato: «Quedé un poco asombrado; hoy no me asombraría, porque he visto las mismas anécdotas atribuidas en un pueblo a una persona y en otro a otra, y hasta a mí mismo me ha pasado el caso de inventar la historia de un comisionista chusco que hacía varias mistificaciones y después oír contar anécdotas de este comisionista inventado por mí como si fueran ciertas» *(O. C.,* V, pág. 501). Lo cierto es que el cuentecillo recogido por Mey había aparecido, con variantes, en colecciones anteriores: el *Buen aviso y Portacuentos* (1564), de Timoneda; la *Floresta española* (1574), de Melchor de Santa Cruz, y otras (véanse las versiones en M. Chevalier, *Cuentecillos tradicionales en la España del Siglo de Oro,* Madrid, Gredos, 1975, pág. 240 y sigs.).

[57] *Señalar:* aludir, insinuar. Comp. el modismo: «Perdone usted el modo de señalar», explicado así por Ramón Caballero *(Diccionario de modismos):* «Frase familiar con que se denota una alusión más o menos embozada».

»—No hay sitio para ti, Fernando, ni probablemente tampoco habrá comida.

»—¡Bah! —replicó él—. ¡Si me dierais de balde lo que sobre!

»—Pues, nada, todo lo que sobre para ti.

»Se paseó Fernando por el comedor.

»En la mesa redonda se habían sentado los dos bandos que habían jugado a la pelota, separados. Fernando, viendo que traían en una fuente piernas de carnero, dijo a dos o tres en voz baja:

»—Yo no sé de dónde saca el amo estas piernas de perro tan hermosas y con tanta carne.

»—¿Pero son de perro? —dijeron ellos.

»—Sí, de perro; pero no se lo digáis a ésos, que se fastidien.

»—¿Pero de veras, Fernando?

»—Sí, hombre; yo mismo he visto la cabeza en la cocina. ¡Era un perro de aguas más hermoso!

»Dicho esto salió del comedor, y, al volver, tenían una cazuela con liebre. Fue al otro extremo de la mesa y dijo a los del bando contrario:

»—¡Vaya unos gatos más buenos que compra este fondista a los carabineros!

»—¡Ah!, ¿pero es gato eso?

»—Sí; no se lo digáis a esos, pero yo he visto las colas en la cocina.

»Poco después, Fernando comía solo y tenía liebre y carnero de sobra. Al anochecer, salieron del pueblo todos algo borrachos, y alguno se paró a echar la papilla en el camino.

»—Es el perro que le ha hecho daño —decían unos, burlándose.

»—Es el gato —decían los otros.

»Y nadie quería decir que era el vino.

»—Compañeros —dijo Fernando—: cuando se come gato y perro juntos no pasa nada. Ellos riñen, en el interior, como perros y gatos, pero le dejan a uno en paz».

La muchacha de la risa aguda rió de nuevo, y el campesino comenzó a contar otra anécdota, diciendo:

—No estuvo mal tampoco la manera como Fernando deshizo la boda entre un zapatero rico de Tolosa y una novia suya.

—A ver, a ver cómo fue —dijeron todos.

«Pues estaba Fernando de aprendiz en la zapatería del difunto Ichtaber, el *Chato de Tolosa,* y no sé si vosotros sabréis, pero Ichtaber era un zapatero viejo y muy rico. Tenía Fernando de novia una chica muy guapa; pero Ichtaber, el *Chato,* al verla, la empezó a cortejar y a decir si se quería casar con él, y, como era rico, ella aceptó. Solían verse la muchacha y el viejo en la zapatería, y el granuja de Ichtaber, para estar más libre, mandaba a Fernando, con cualquier pretexto, a la trastienda. Él hacía como que no se incomodaba, pero se vengó. Fue a ver a su novia y habló con ella.

»—Sí —le dijo—. Ichtaber es buena persona y hombre de fortuna, es verdad; pero como es zapatero y chato y ha andado toda la vida con pieles, huele muy mal.

»—¡Mentiroso! —dijo ella.

»—No, no, fíjate. Ya verás.

»Fernando fue a la zapatería, cogió un fuelle grande y lo rellenó de esa casca [58] que queda después de curtidos los pellejos y que huele que apesta; luego hizo un agujero en el tabique de la trastienda y esperó la ocasión oportuna. Por la tarde llegó la chica, e Ichtaber dijo a su aprendiz:

»—Oye, Fernando, vete a la trastienda un momento a arreglar esas hormas que hay en la caja.

»Salió Fernando; tomó el fuelle. Miró por el agujero. Ichtaber estaba besando la mano de la chica; entonces le apuntó a ella con el fuelle, y metió por el agujero del tabique una corriente de aire de mal olor. Cuando Fernando miró después, Ichtaber, el *Chato,* estaba con la mano en sus diminutas narices, y la muchacha, lo mismo.

»Luego Fernando siguió dándole al fuelle con intermitencias, hasta que se cansó.

---

[58]   *Casca:* corteza de ciertos árboles, que se usa para curtir las pieles *(DRAE).*

»Dos días después fue de nuevo la chica, y le pasó lo mismo; y ya no volvió más, porque decía que Ichtaber, el *Chato,* olía a muerto.

»Ichtaber hizo el amor a otra; pero Fernando le jugó la misma pasada con el fuelle, y el zapatero decía a sus amigos:

»—*¡Arrayua!* En mi tiempo era otra cosa; las chicas estaban sanas. Ahora, la que más y la que menos huele a perros».

Volvió a oírse la risa alegre y chillona de la muchacha.

Celebraron los demás circunstantes las granujerías de Fernando, el de Amézqueta, y fueron a acostarse.

A la mañana siguiente, Martín y Bautista dejaron a [59] Amézqueta, y por un sendero llegaron a Ataun, lugar en donde Dorronsoro, el jefe civil carlista, había sido escribano.

Se encontraron en el camino a un muchacho de este pueblo que iba a Echarri-Aranaz y, en su compañía, tomaron por un camino de herradura que bordeaba la sierra de Aralar.

Hablaron los tres de la marcha de la guerra, y el chico contó una anécdota de Dorronsoro que no dejaba de tener gracia. Se había presentado a él un señorito de San Sebastián, de familia carlista, de los que llamaban *ojalateros* [60], muy gordo y muy lucio.

—Mire usted, don Miguel —había dicho al escribano—, yo soy muy carlista y mi familia también lo es; quisiera servir a don Carlos, pero, ya ve usted, no estoy para andar por el monte y desearía entrar en las oficinas.

---

[59] Uso clásico, hoy en claro retroceso, de la preposición *a* como marca de complemento directo ante nombre de población (comp. Real Academia Española, *Gramática,* ed. 1931, § 241 *b,* y *Esbozo.* § 3.4.5 *b).* Véase otro ejemplo en Baroja: «Almorzaron, y luego estuvieron silenciosos contemplando a París» *(Las tragedias grotescas,* cap. XXVII).

[60] *Ojalatero.* La definición que recogen los diccionarios actuales no aclara la razón de ser de este término jocoso. Véase, sin embargo, la caracterización ofrecida por el *Diccionario nacional,* de Ramón Joaquín Domínguez (2.ª ed., 1847): «apodo que, durante la guerra que Carlos María Isidro de Borbón sostuvo contra su sobrina Isabel II, se daba a los partidarios de aquel que, a pesar de estar en la facción, pasaba holgando en los pueblos, sin batirse, dejando este cuidado a los demás compañeros, contentándose con repetir *ojalá se acabe luego esto, ojalá ganemos».*

—Bueno, ya veré si encuentro algo —le dijo Dorronsoro—; vuelva usted mañana.

Volvió al día siguiente el señorito y preguntó:

—¿Qué, ha encontrado usted algo?

—Sí, ya comprendo que no puede usted salir al monte; de manera que entrará usted en las oficinas... y pagará usted tres pesetas al día.

Celebraron Martín y Bautista la decisión de Dorronsoro. Por la noche llegaron al valle de Araquil y se detuvieron en Echarri-Aranaz. Entraron en la cocina de la venta a calentarse al fuego. Allí, en vez de las historias del buen truhán Fernando de Amézqueta, tuvieron que oír, contada por una vieja, la historia de don Teodosio de Goñi, un caballero navarro que, después de haber matado a su padre y a su madre, engañado por el diablo, se fue de penitencia al monte con una cadena al pie, hasta que, pasados muchos años y siendo don Teodosio viejo, se le presentó un dragón, y ya iba a devorarle, cuando apareció el arcángel San Miguel y mató al dragón y rompió las cadenas al caballero.

A Bautista y a Martín les parecieron más entretenidas que esta tonta historia de dragones y de santos las ocurrencias del buen Fernando de Amézqueta.

Estaban oyendo los comentarios a la vida de don Teodosio, cuando se presentó en la venta un señor rubio que, al ver a Bautista y Martín, se les quedó mirando atentamente.

—¡Pero son ustedes!

—Usted es el de...

—El mismo.

Era el extranjero a quien habían libertado de las garras del Cura.

—¿A qué vienen ustedes por aquí? —preguntó el extranjero.

—Vamos a Estella.

—¿De veras?

—Sí.

—Yo también. Iremos juntos. ¿Conocen ustedes el camino?

—No.

—Yo, sí. He estado ya una vez.

—Pero, ¿qué hace usted andando siempre por estos parajes? —le preguntó Martín.

—Es mi oficio —le dijo el extranjero.

—¿Pues qué es usted, si se puede saber?

—Soy periodista. La fuga aquella me sirvió para hacer un artículo interesantísimo. Hablaba de ustedes dos y de aquella señorita morena. ¡Qué chica más valiente!, ¿eh?

—Ya lo creo.

—Pues si no tienen ustedes reparo, iremos juntos a Estella.

—¿Reparo? Al revés. Satisfacción, y grande.

Quedaron de acuerdo en marchar juntos.

A las siete de la mañana, hora en que empezó a aclarar, salieron los tres, atravesaron el túnel de Lizárraga y comenzaron a descender hacia la llanada de Estella. El extranjero montaba en un borriquillo que marchaba casi más deprisa que los matalones en que iban Martín y Bautista. El camino serpenteaba subiendo el desnivel de la sierra de Andía.

Atravesaron posiciones ocupadas por batallones carlistas. Entre los jefes había muchos extranjeros con flamantes uniformes austríacos, italianos y franceses, un tanto carnavalescos.

A media tarde comieron en Lezaun, y, arreando las caballerías, pasaron por Abarzuza. El extranjero explicó al paso la posición respectiva de liberales y carlistas en la batalla de Monte Muru y el sitio donde se desarrolló lo más fuerte de la acción en la que murió el general Concha[61].

Al anochecer llegaron cerca de Estella.

Mucho antes de entrar en la corte carlista encontraron una compañía con un teniente, que les ordenó detenerse. Mostraron los tres su pasaporte.

Al llegar cerca del convento de Recoletos era ya de noche.

---

[61] Se refiere al general Manuel Gutiérrez de la Concha (1806-1874), marqués del Duero. La batalla fue el 27 de junio de 1874.

—¿Quién vive? —gritó el centinela.

—España.

—¿Qué gente?

—Paisanos.

—Adelante [62].

Volvieron a mostrar sus documentos al cabo de guardia y entraron en la ciudad carlista.

---

[62] Acaso hay aquí también un recuerdo infantil, de un viaje desde Pamplona a Larumbe que Baroja evoca así en sus Memorias: «Al pasar por la Puerta Nueva, el grito inesperado del centinela, que nos mandó parar, me hizo una gran impresión. —¡Alto! ¿Quién vive? —¡España! —contestó mi padre. —¿Qué gente? —Gente de paz. —¡Adelante!» *(O. C.,* VII, pág. 542). La escena se repite en otras novelas de Baroja. Así, en *Silvestre Paradox* (cap. III), de tanto contenido autobiográfico: «Comenzó a bajar la cuesta del camino que lleva hacia el Portal Nuevo [...] —¡Alto! —le gritó el centinela desde su garita [...] Silvestre se detuvo, temblando de emoción [...] ¿Quién vive? —España. —¿Qué gente? —Gente de paz. —Adelante». O en *El aprendiz de conspirador,* I, II: «Al avanzar [...] hacia la puerta de San Juan, el centinela les dio el alto. —¿Quién vive? —gritó. —España —contestó Leguía con voz firme. ¿Qué gente? Gente de paz. —Adelante». En *Con la pluma y con el sable,* III, II: «—¡Alto! ¿Quién vive? —le dijeron los soldados. —España. —¿Qué gente? —Gente de paz. —¡Adelante!».

CAPÍTULO IX

Pasaron por el portal de Santiago, entraron en la calle Mayor y preguntaron en la posada si había alojamiento.

Una muchacha apareció en la escalera.

—Está la casa llena —dijo—. No hay sitio para tres personas; sólo una podría quedarse.

—¿Y las caballerías? —preguntó Bautista.

—Creo que hay sitio en la cuadra.

Fue la muchacha a verlo, y Martín dijo a Bautista:

—Puesto que hay posada para una persona, tú te puedes quedar aquí. Vale más que estemos separados y que hagamos como si no nos conociéramos.

—Sí, es verdad —contestó Bautista.

—Mañana, a la mañana, en la plaza nos encontraremos.

—Muy bien.

Vino la muchacha y dijo que había sitio en la cuadra para los jacos.

Entró Bautista en la casa con las caballerías, y el extranjero y Martín fueron, preguntando, a otra posada del paseo de los Llanos, donde les dieron alojamiento.

Llevaron a Martín a un cuarto desmantelado y polvoriento, en cuyo fondo había una alcoba estrecha, con las paredes cubiertas de unas manchas negras de humo. Sin duda, los huéspedes mataban las chinches quemándolas con una vela o con la lamparilla, y dejaban estos tranquilizadores rastros. En el gabinete y en la alcoba olía a cuadra, olor que venía de las junturas de las maderas del suelo.

Martín sacó la carta de Levi-Álvarez y el paquete de letras cosido en el cuero de la bota, y separó las ya aceptadas y firmadas de las otras. Como estas todas eran para Estella, las encerró en un sobre y escribió:

«Al general en jefe del ejército carlista».

—¿Será prudente —se dijo— entregar estas letras sin garantía alguna?

No pensó mucho tiempo, porque comprendió en seguida que era una locura pedir recibo o fianza.

—La verdad es que, si no quieren firmar, no puedo obligarles, y si me dan un recibo y luego se les ocurre quitármelo, con prenderme están al cabo de la calle. Aquí hay que hacer como si a uno le fuera indiferente la cosa, y si sale bien, aprovecharse de ella, y si no, dejarla.

Esperó a que se secara el sobre. Salió a la calle. Vio en la calle un sargento y, después de saludarle, le preguntó:

—¿Dónde se podrá ver al general?

—¡A qué general!

—Al general en jefe. Traigo unas cartas para él.

—Estará, probablemente, paseando en la plaza. Venga usted.

Fueron a la plaza. En los arcos, a la luz de unos faroles tristes de petróleo, paseaban algunos jefes carlistas. El sargento se acercó al grupo y, encarándose con uno de ellos, dijo:

—Mi general.

—¿Qué hay?

—Este paisano, que trae unas cartas para el general en jefe.

Martín se acercó y entregó los sobres. El general carlista se arrimó a un farol y los abrió. Era el general un hombre alto, flaco, de unos cincuenta años, de barba negra, con el brazo en cabestrillo. Llevaba una boina grande de gascón con una borla.

—¿Quién ha traído esto? —preguntó el general, con voz fuerte.

—Yo —dijo Martín.

—¿Sabe usted lo que venía aquí dentro?

—No, señor.

—¿Quién le ha dado a usted estos sobres?

—El señor Levi-Álvarez, de Bayona.

—¿Cómo ha venido usted hasta aquí?

—He ido de San Juan de Luz a Zumaya en barco, de Zumaya aquí, a caballo.

—¿Y no ha tenido usted ningún contratiempo en el camino?

—Ninguno.

—Aquí hay algunos papeles que hay que entregar al rey. ¿Quiere usted entregarlos, o que se los entregue yo?

—No tengo más encargo que dar estos sobres, y si hay contestación, volverla a Bayona.

—¿No es usted carlista? —preguntó el general, sorprendido del tono de indiferencia de Martín.

—Vivo en Francia y soy comerciante.

—¡Ah!, vamos, es usted francés.

Martín calló.

—¿Dónde para usted? —siguió preguntando el general.

—En una posada de ese paseo...

—¿Del paseo de los Llanos?

—Creo que sí. Así se llama.

—¿Hay una administración de coches en el portal? ¿No?

—Sí, señor.

—Entonces, es la misma. ¿Piensa usted estar muchos días en Estella?

—Hasta que me digan si hay contestación o no.

—¿Cómo se llama usted?

—Martín Tellagorri.

—Está bien. Puede usted retirarse.

Saludó Martín y se fue a la posada. A la puerta se encontró con el extranjero.

—¿Dónde se mete usted? —le dijo—. Le andaba buscando.

—He ido a ver al general en jefe.

—¿De veras?

—Sí.

—¿Y le ha visto usted?

—Ya lo creo. Y le he dado las cartas que traía para él.

—¡Demonio! Eso sí que es ir deprisa. No le quisiera tener a usted de rival en un periódico. ¿Qué le ha dicho a usted?

—Ha estado muy amable.

—Tenga usted cuidado, por si acaso. Mire usted que éstos son unos bandidos.

—Le he indicado que soy francés.

—¡Bah!, no importa. Este verano han fusilado a un periodista alemán amigo mío. Tenga usted cuidado.

—¡Oh! Lo tendré.

—Ahora, vamos a cenar.

Subieron las escaleras y entraron en una cocina grande.

Varios paisanos y soldados, congregados allí, charlaban. Se sentaron a cenar a una mesa larga, iluminada por un velón de varios mecheros que colgaba del techo.

Un hombre viejo, bajito, que presidía la mesa, se quitó la boina y comenzó a rezar; todos los comensales hicieron lo mismo, menos el extranjero, a quien advirtió Martín de su olvido, y que, al darse cuenta, se quitó apresuradamente la gorra.

En el transcurso de la cena, el hombre bajito habló más que nadie. Era navarro de la ribera. Tenía un tipo repulsivo, chato, de mirada oblicua, pómulos salientes, la boina pequeña echada sobre los ojos, como si, instintivamente, quisiera ocultar su mirada [63]. Defendía la conducta del cabecilla asesino Rosas Samaniego, que estaba entonces preso en Estella, y le parecía poca cosa el echar a los hombres por la sima de Igusquiza tratándose de liberales y de hombres que blasfemaban de su Dios y de su religión.

---

[63]   Comp. con la descripción del cura Santa Cruz en el cap. III de esta parte.

Contó el tal viejo varias historias de la guerra carlista anterior. Una de ellas era verdaderamente odiosa y cobarde. Una vez, cerca de un río, yendo con la partida, se encontraron con diez o doce soldados jovencitos que lavaban sus camisas en el agua.

—A bayonetazos acabamos con todos —dijo el hombre sonriendo; luego añadió hipócritamente:

—Dios nos lo habrá perdonado.

Durante la cena, el repulsivo viejo estuvo contando hazañas por el estilo. Aquel tipo miserable y siniestro era fanático, violento y cobarde; se recreaba contando sus fechorías, manifestaba crueldad bastante para disimular su cobardía, tosquedad para darla como franqueza, y ruindad para darle el carácter de habilidad. Tenía la doble bestialidad de ser católico y de ser carlista.

Este desagradable y antipático personaje se puso después a clasificar los batallones carlistas según su valor: primero eran los navarros, como era natural, siendo él navarro; luego los castellanos, después los alaveses, luego los guipuzcoanos y, al último, los vizcaínos.

Por el curso de la conversación, se veía que había allá un ambiente de odios terribles: navarros, vascongados, alaveses, aragoneses y castellanos se odiaban a muerte. Todo ese fondo cabileño que duerme en el instinto provincial español estaba despierto. Unos se reprochaban a otros el ser cobardes, granujas y ladrones.

Martín se ahogaba en aquel antro, y, sin tomar el postre, se levantó de la mesa para marcharse. El extranjero le siguió y salieron los dos a la calle.

Llovizraba. En algunas tabernas oscuras, a la luz de un quinqué de petróleo, se veían grupos de soldados. Se oía el rasguear de la guitarra; de cuando en cuando, una voz cantaba la jota, en la calle negra y silenciosa.

—Ya me está a mí cargando esta canción estólida —murmuró Martín.

—¿Cuál? —preguntó el extranjero.

—La jota. La encuentro como una cosa petulante. Me parece que le estoy oyendo hablar a ese viejo navarro de la posada. El que la canta quiere decir:

> Yo soy más valiente que nadie, más noble que nadie, más heroico que nadie.

—¿Y éstos no son más valientes que los demás españoles? —preguntó el extranjero maliciosamente.

—No lo sé; yo no lo creo, por lo menos. Yo, ahora mismo, si tuviera quinientos hombres, tomaba Estella por asalto y le pegaba fuego.

—¡Ja! ¡Ja! Es usted un hombre extraordinario.

—Es que lo digo porque lo creo.

—Yo también lo creo, y siento que no tenga usted los quinientos hombres. ¿Y qué decía usted de la gente del Ebro?

—Nada, que han decidido ellos mismos que son los únicos francos, los únicos leales porque hablan muy en bruto y cantan la jota.

—¿De manera que para usted este canto es como una falsificación del valor y de la energía?

—Sí, algo así.

—Está bien. Lo diré en mi próxima crónica. ¿No le parece a usted mal que me sirva de sus opiniones?

—De ningún modo, porque a mí no me sirven para nada.

Siguieron paseando, pero al alejarse un poco, un centinela les dio el alto y volvieron a la plaza. Se hallaba ésta solitaria.

Dieron varias vueltas y un sereno les saludó y les dijo:

—¿Qué hacen ustedes aquí?

—¿No se puede pasear? —preguntó Zalacaín.

—Hombre, sí; pero no es una hora muy a propósito.

—Es que hemos cenado tarde y estábamos dando una vuelta —dijo el extranjero—; no quisiéramos acostarnos tan pronto.

—¿Por qué no van ustedes allí? —dijo el sereno, señalando los balcones de una casa, que brillaban iluminados.

—¿Qué es lo que hay allí? —preguntó Martín.

—El casino —contestó el sereno.

—¿Y qué hacen ahora? —dijo el extranjero.

—Estarán jugando.

Se despidieron del vigilante nocturno y dejaron la plaza.

Después, dando un rodeo, salieron al paseo de los Llanos. Una campana de un convento comenzó a tocar.

—Juego, campanas, carlismo y jota. ¡Qué español es esto, mi querido Martín! —dijo el extranjero.

—Pues yo también soy español, y todo eso me es muy antipático —contestó Martín.

—Sin embargo, son los caracteres que constituyen la tradición de su país —dijo el extranjero.

—Mi país es el monte —contestó Zalacaín.

CAPÍTULO X

CÓMO TRANSCURRIÓ EL SEGUNDO DÍA
EN ESTELLA

Conformes Martín y Bautista, se encontraron en la plaza. Martín consideró que no convenía que le viesen hablar con su cuñado, y para decir lo hecho por él la noche anterior escribió en un papel su entrevista con el general.

Luego se fue a la plaza. Tocaba la charanga. Había unos soldados formados. En el balcón de una casa pequeña, enfrente de la iglesia de San Juan, estaba don Carlos con algunos de sus oficiales.

Esperó Martín a ver a Bautista, y cuando le vio le dijo:

—Que no nos vean juntos.

Y le entregó el papel.

Bautista se alejó, y poco después se acercó de nuevo a Martín y le dio otro pedazo de papel.

—¿Qué pasará? —se dijo Martín.

Se fue de la plaza, y cuando se vio solo leyó el papel de Bautista, que decía:

Ten cuidado. Está aquí el Cacho, *de sargento. No andes por el centro del pueblo.*

La advertencia de Bautista la consideró Martín de gran importancia. Sabía que el *Cacho* le odiaba y que, colocado en una posición para él superior, podía vengar sus antiguos rencores con toda la saña de aquel hombre pequeño, violento y colérico.

Martín pasó por el puente del Azucarero, contemplando el agua verdosa del río. Al llegar a la plazoleta donde comienza la rúa Mayor del pueblo viejo, Martín se detuvo frente al palacio del duque de Granada, convertido en cárcel, a contemplar una fuente con un león tenante en medio, en cuyas garras sujeta un escudo de Navarra.

Estaba allí parado cuando vio que se le acercaba el extranjero.

—¡Hola, querido Martín! —le dijo.

—Hola. Buenos días.

—¿Va usted a echar un vistazo por este viejo barrio?

—Sí.

—Pues iré con usted.

Tomaron por la rúa Mayor, la calle principal del pueblo antiguo. A un lado y a otro se levantaban hermosas casas de piedra amarilla, con escudos y figuras tallados.

Luego, terminada la rúa, siguieron por la calle de Curtidores. Las antiguas casas solariegas mostraban sus grandes puertas cerradas; en algunos portales, convertidos en talleres de curtidores, se veían filas de pellejos colgados, y en el fondo, el agua casi inmóvil del río Ega, verdosa y turbia.

Al final de esta calle se encontraron con la iglesia del Santo Sepulcro y se pararon a contemplarla. A Martín le pareció aquella portada de piedra amarilla, con sus santos desnarigados a pedradas, una cosa algo grotesca; pero el extranjero aseguró que era magnífica.

—¿De veras? —preguntó Martín.

—¡Oh! ¡Ya lo creo!

—¿Y la habrá hecho la gente de aquí? —preguntó Martín.

—¿Le parece a usted imposible que los de Estella hagan una cosa buena? —preguntó riendo el extranjero.

—¡Qué sé yo! No me parece que en este pueblo se haya inventado la pólvora.

En una calle transversal, las paredes de las antiguas casas hidalgas derrumbadas servían de cerca para los jardines. No se alejaron más, porque a pocos pasos estaba ya la guardia. Volvieron y subieron a San Pedro de la Rúa, iglesia colocada en un alto, a la cual se llegaba por unas escaleras desgastadas, entre cuyas losas crecía la hierba.

—Sentémonos aquí un momento —dijo el extranjero.

—Bueno, como usted quiera.

Desde allí se veía casi todo Estella y los montes que le rodean, abajo el tejado de la cárcel y en un alto la ermita del Puy. Una vieja limpiaba las escaleras de piedra de la iglesia con una escoba, y cantaba a voz en grito:

> ¡Adiós los Llanos de Estella,
> San Benito y Santa Clara,
> convento de Recoletos,
> donde yo me paseaba!

—Ya ve usted —dijo el extranjero— que, aunque a usted le parezca este pueblo tan desagradable, hay gente que le tiene cariño.

—¿Quién? —dijo Martín.

—El que ha inventado esa canción.

—Era un hombre de mal gusto.

La vieja se acercó al extranjero y a Martín y entabló conversación con ellos. Era una mujer pequeña, de ojos vivos y tez tostada.

—¿Usted será carlista, eh? —le preguntó el extranjero.

—Ya lo creo. En Estella todos somos carlistas, y tenemos la seguridad de que vendrá don Carlos, con la ayuda de Dios.

—Sí, es muy probable.

—¿Cómo probable? —exclamó la vieja—. Es seguro. ¿Usted no será de aquí?

—No, no soy español.

—¡Ah!, vamos.

Y la vieja, después de mirarle con curiosidad, siguió barriendo las escaleras.

—Creo que le ha tenido a usted lástima al saber que no es usted español —dijo Martín.

—Sí, parece que sí —contestó el extranjero—. La verdad es que es triste que por ese estúpido hombre guapo se mate esta pobre gente.

—¿Por quién lo dice usted, por don Carlos? —preguntó Martín.

—Sí.

—¿Usted también cree que no es hombre de talento?

—¡Qué va a ser! Es un tipo vulgar sin ninguna condición. Luego, no tiene idea de nada. Hablé con él cuando el bombardeo de Irún, y no se puede usted figurar nada más plano y más opaco.

—Pues no lo diga usted por ahí, porque le hacen a usted pedazos. Estos bestias están dispuestos a morir por su rey.

—¡Oh!, no lo diría. Además, ¿para qué? No había de convencer a nadie; unos son fanáticos y otros aventureros, y ninguno está dispuesto a dejarse persuadir. Pero no crea usted que todos tienen un gran respeto ni por don Carlos ni por sus generales. ¿No ha oído usted en la posada que hablan algunas veces de don Bobo?, pues se refieren al Pretendiente.

Vieron el extranjero y Martín las otras iglesias del pueblo, la Peña de los Castillos y la parroquia de Santa María, y volvieron a comer.

Afortunadamente, el viejecillo antipático no se sentaba a la mesa, y, en cambio, estaban un legitimista francés, el conde de Haussonville, de la legación extranjera, y un joven comandante carlista, llamado Iceta.

El conde de Haussonville fue la alegría de la mesa. El conde, hombre de unos cuarenta años, alto, grueso, derecho, rubio, hablaba en un castellano grotesco.

Lo verdaderamente gracioso de Haussonville era su apetito voraz. Todo lo que le daban de comer no le servía más que de aperitivo. Había venido desde Caspe llevando prisionero a un brigadier valenciano, carlista, a que compareciera ante el Estado Mayor de don Carlos, y contaba su expedición de tal manera que hacía morirse de risa a todos.

Explicó su estancia en un pueblo, con el batallón metido en una iglesia, sin poder moverse por estar los caminos intransi-

tables por la nieve, no comiendo más que habichuelas y teniendo por retrete un confesionario, y dio tales detalles, que
todo el mundo reía a carcajadas.

—Un día, sobre todo, nos trajeron sidra —dijo el francés—,
y entre la sidra y las habichuelas se nos armó una que tuvimos
que hacer cola delante del confesonario. Pocas veces se ha
visto una congregación de fieles tan apenados para entrar en el
confesonario como nosotros. Jefes y soldados íbamos con gran
dolor de corazón a cantar nuestra canción de las habichuelas a
la pequeña garita del señor cura.

Después de maldecir de la alimentación leguminosa y de la
alimentación *patatosa,* habló del resto del viaje.

Cada pueblo del tránsito le parecía una estación de calvario
para su estómago hambriento; recordaba las aldeas por lo que
había comido, o mejor dicho, por lo que había ayunado; aquí
le habían dado por toda comida un caldo de berzas; allá, por
cena, una colación de verduras cocidas; y, para colmo de des-
dichas, estaba alojado en Estella en casa de unas viejas solte-
ronas, y, por la mañana, le daban chocolate con agua; por la
tarde, cocido, y de noche, una sopa de ajo infame.

—Y siempre, siempre, poco —decía Haussonville, levan-
tando los brazos al cielo.

Iceta era un aventurero. Había estado al principio en la
guerra; luego se fue a una república americana, tomó parte en
una revolución, y después, expulsado de allí por rebelde, volvía al ejército carlista, en donde estaba ya violento y deseando
marcharse.

Siguiéndole a todas partes, como amigo y asesor, iban un
antiguo criado suyo, que se llamaba Asensio, pero a quien se
le conocía por estos dos motes: Asenchio Lapurrá (Asensio el
Ladrón) y Asenchio Araguiarrapatzallia (Asensio el Decomi-
sador de Carne).

Este mote lo debía Asensio a haber sido consumero en su
pueblo.

Asensio era graciosísimo hablando castellano; no había palabra que empleara bien.

Siempre que tenía que decir andamos, decía andemos; y, al contrario, empleaba *vaiga* por vaya, y *hagáis* por haced.

La conversación entre el conde de Haussonville y Asenchio Lapurrá era de lo más dislocada y pintoresca.

—Si aquí hubiera un buen *general* —decía Haussonville—, la *querra* estaba resuelta.

—*Pueda, pueda* que sí —contestaba Asensio.

—No saben *manecar* un grande *equército,* amigo Asensio.

—Si *supieseis* de *tática,* otra cosa sería.

Martín y el extranjero intimaron con Haussonville, con Iceta y con Asenchio Lapurrá, y se rieron a carcajadas con los mil *quid pro quos* que resultaban en la conversación del francés y del vasco.

Asensio había estado en Cuba algún tiempo, de soldado, y contó anécdotas de aquella tierra. Lo que más le gustaba era hablar de los chinos.

—Son de *mal* intención, pero buenos cocineros, eso sí. *Digáis* a un chino que os haga un arroz. Os hace una cosa *manífica.* Es gente *raro.* Luego se ponen a hablar *chun, chun, chun.* ¿Y entenderles?, nada. ¿A nosotros?, rabia nos tenían. Y al que cogían *la* martirizaban. ¡Pse! Nosotros *tamién* algunos *matemos.*

Martín se reía a carcajadas con las explicaciones de Asenchio Lapurrá.

Después de comer en la posada, Martín, el extranjero, Iceta, Haussonville y Asensio, fueron a un café de la plaza, donde estuvieron hablando. Había ejercicios espirituales en la iglesia de San Juan, y una porción de beatos y de oficiales carlistas iban a la iglesia.

—¡Qué país! —dijo Haussonville—; la gente no hace más que ir a la iglesia. Todo es para el señor cura: las buenas comidas, las buenas chicas... Aquí no hay nada que hacer; todo para el señor cura.

Iceta y Haussonville contemplaban con desprecio aquel tropel de gente que se encaminaba hacia la iglesia.

—¡Bestias! —exclamaba Iceta, dando puñetazos en la mesa—. No quisiera más que poder ametrallarlos.

El francés murmuraba como diciéndoselo a sí mismo:

—¡España! ¡España! *¡Jamais de la vie!* Mucha hidalguía, mucha misa, mucha jota; pero poco alimento.

—La guerra —añadía Asensio, metiendo la cucharada [64] —es cosa nada *bueno.*

---

[64] Interviniendo en la conversación.

CAPÍTULO XI

CÓMO LOS ACONTECIMIENTOS SE ENREDARON, HASTA EL PUNTO DE QUE MARTÍN DURMIÓ EL TERCER DÍA DE ESTELLA EN LA CÁRCEL

Al día siguiente, por la noche, iba a acostarse Martín, cuando la posadera le llamó y le entregó una carta, que decía:

«Preséntese usted mañana, de madrugada, en la ermita del Puy, en donde se le devolverán las letras ya firmadas.—El general en jefe».

Debajo había una firma ilegible.

Martín se metió la carta en el bolsillo, y viendo que la posadera no se marchaba de su cuarto, le preguntó:

—¿Quería usted algo?

—Sí; nos han traído dos militares heridos y quisiéramos el cuarto de usted para uno de ellos. Si usted no tuviera inconveniente, le trasladaríamos abajo.

—Bueno; no tengo inconveniente.

Bajó a un cuarto del piso principal, que era una sala muy grande con dos alcobas. La sala tenía en medio un altar, iluminado con unas lámparas tristes de aceite. Martín se acostó; desde su cama veía las luces oscilantes, pero estas cosas no influían en su imaginación, y quedó dormido.

Era más de medianoche, cuando se despertó algo sobresaltado. En la alcoba próxima se oían quejas, alternando con voces de ¡ay, Dios mío!; ¡ay, Jesús mío!

—¿Qué demonio será esto? —pensó Martín.

Miró el reloj. Eran las tres. Se volvió a tender en la cama; pero con los lamentos no se pudo dormir y le pareció mejor levantarse. Se vistió y se acercó a la alcoba próxima y miró por entre las cortinas. Se veía vagamente a un hombre tendido en la cama.

—¿Qué le pasa a usted? —preguntó Martín.

—Estoy herido —murmuró el enfermo.

—¿Quiere usted alguna cosa?

—Agua.

A Martín le dio la impresión de conocer esta voz. Buscó por la sala una botella de agua, y, como no había en el cuarto, fue a la cocina. Al ruido de sus pasos, la voz de la patrona preguntó:

—¿Qué pasa?

—El herido, que quiere agua.

—Voy.

La patrona apareció en enaguas, y dijo, entregando a Martín una lamparilla:

—Alumbre usted.

Tomaron el agua y volvieron a la sala. Al entrar en la alcoba, Martín levantó el brazo, con lo que iluminó el rostro del enfermo y el suyo. El herido tomó el vaso en la mano, e incorporándose y mirando a Martín comenzó a gritar:

—¿Eres tú? ¡Canalla! ¡Ladrón! ¡Prendedle! ¡Prendedle!

El herido era Carlos Ohando.

Martín dejó la lamparilla sobre la mesa de noche.

—Márchese usted —dijo la patrona—. Está delirando.

Martín sabía que no deliraba; se retiró a la sala y escuchó, por si Carlos contaba alguna cosa a la patrona. Martín esperó en su alcoba. En la sala, debajo del altar, estaba el equipaje de Ohando, consistente en un baúl y una maleta. Martín pensó que quizá Carlos guardara alguna carta de Catalina, y se dijo:

—Si esta noche encuentro una buena ocasión, descerrajaré el baúl.

No la encontró. Iban a dar las cuatro de la mañana, cuando Martín, envuelto en su capote, se marchó hacia la ermita del

Puy. Los carlistas estaban de maniobras. Llegó al campamento de don Carlos, y, mostrando su carta, le dejaron pasar.

—El señor está con dos reverendos padres —le advirtió un oficial.

—Vayan al diablo el señor y los reverendos padres —refunfuñó Zalacaín—. La verdad es que este rey es un rey ridículo.

Esperó Martín a que despachara el señor con los reverendos, hasta que el rozagante Borbón, con su aire de hombre bien cebado, salió de la ermita, rodeado de su Estado Mayor. Junto al Pretendiente iba una mujer a caballo, que Martín supuso sería doña Blanca.

—Ahí está el rey. Tiene usted que arrodillarse y besarle la mano —dijo el oficial.

Zalacaín no replicó.

—Y darle el título de majestad.

Zalacaín no hizo caso.

Don Carlos no se fijó en Martín, y éste se acercó al general, quien le entregó las letras firmadas. Zalacaín las examinó. Estaban bien.

En aquel momento, un fraile castrense, con unos gestos de energúmeno, comenzó a arengar a las tropas.

Martín, sin que lo notara nadie, se fue alejando de allí y bajó al pueblo corriendo. El llevar en su bolsillo su fortuna, le hacía ser más asustadizo que una liebre.

A la hora en que los soldados formaban en la plaza, se presentó Martín, y, al ver a Bautista, le dijo:

—Vete a la iglesia y allí hablaremos.

Entraron los dos en la iglesia, y en una capilla oscura se sentaron en un banco.

—Toma las letras —le dijo Martín a Bautista—. ¡Guárdalas!

—¿Te las han dado ya firmadas?

—Sí.

—Hay que prepararse a salir de Estella en seguida.

—No sé si podremos —dijo Bautista.

—Aquí estamos en peligro. Además del Cacho, se encuentra en Estella Carlos Ohando.

—¿Cómo lo sabes?

—Porque le he visto.

—¿En dónde?

—Está en mi casa, herido.

—¿Y te ha visto él?

—Sí.

—Claro, están los dos —exclamó Bautista.

—¿Cómo los dos? ¿Qué quieres decir con eso?

—¿Yo? Nada.

—¿Tú sabes algo?

—No, hombre, no.

—O me lo dices, o se lo pregunto al mismo Carlos Ohando. ¿Es que está aquí Catalina?

—Sí, está aquí.

—¿De veras?

—Sí.

—¿En dónde?

—En el convento de Recoletas.

—¡Encerrada! ¿Y cómo lo sabes tú?

—Porque la he visto.

—¡Qué suerte! ¿La has visto?

—Sí, la he visto y le he hablado.

—¡Y eso querías ocultarme! Tú no eres amigo mío, Bautista.

Bautista protestó.

—¿Y ella sabe que estoy aquí?

—Sí, lo sabe.

—¿Cómo se puede verla? —dijo Zalacaín.

—Suele bordar en el convento, cerca de la ventana, y por la tarde sale a pasear a la huerta.

—Bueno. Me voy. Si me ocurre algo, le diré a ese señor extranjero que vaya a avisarte. Mira a ver si puedes alquilar un coche para marcharnos de aquí.

—Lo veré.

—Lo más pronto que puedas.

—Bueno.

—Adiós.

—Adiós, y prudencia.

Martín salió de la iglesia, tomó por la calle Mayor hacia el convento de las Recoletas, paseó arriba y abajo, horas y horas, sin llegar a ver a Catalina. Al anochecer tuvo la suerte de verla asomada a una ventana. Martín levantó la mano, y su novia, haciendo como que no le conocía, se retiró de la ventana. Martín quedó helado; luego Catalina volvió a aparecer, y lanzó un ovillo de hilo casi a los pies de Martín. Zalacaín lo recogió; tenía dentro un papel que decía: «A las ocho podemos hablar un momento. Espera cerca de la puerta de la tapia». Martín volvió a la posada, comió con un apetito extraordinario, y a las ocho en punto estaba en la puerta de la tapia esperando. Daban las ocho en el reloj de las iglesias de Estella, cuando Martín oyó dos golpecitos en la puerta; Martín contestó del mismo modo.

—¿Eres tú, Martín? —preguntó Catalina en voz baja.

—Sí, soy yo. ¿No nos podemos ver?

—Imposible.

—Yo me voy a marchar de Estella. ¿Querrás venir conmigo? —preguntó Martín.

—Sí. Pero ¿cómo salir de aquí?

—¿Estás dispuesta a hacer todo lo que yo te diga?

—Sí.

—¿A seguirme a todas partes?

—A todas partes.

—¿De veras?

—Aunque sea a morir. Ahora vete. ¡Por Dios! No nos sorprendan.

Martín se había olvidado de todos sus peligros; marchó a su casa y, sin pensar en espionajes, entró en la posada a ver a Bautista y le abrazó con entusiasmo.

—Pasado mañana —dijo Bautista— tenemos el coche.

—¿Lo has arreglado todo?

—Sí.

Martín salió de casa de su cuñado silbando alegremente. Al llegar cerca de su posada, dos serenos, que parecían estar espiándole, se le acercaron y le mandaron callar de mala manera.

—¡Hombre! ¿No se puede silbar? —preguntó Martín.

—No, señor.

—Bueno. No silbaré.

—Y si replica usted, va usted a la cárcel.

—No replico.

—¡Hala! ¡Hala! A la cárcel.

Zalacaín vio que buscaban un pretexto para encerrarle y aguantó los empellones que le dieron, y, en medio de los dos serenos, entró en la cárcel.

CAPÍTULO XII

EN QUE LOS ACONTECIMIENTOS MARCHAN
AL GALOPE

Entregaron los serenos a Martín en manos del alcaide, y éste le llevó hasta un cuarto oscuro con un banco y una cantarilla para el agua.

—Demonio —exclamó Martín—, aquí hace mucho frío. ¿No hay sitio donde dormir?

—Ahí tiene usted el banco.

—¿No me podrían traer un jergón y una manta para tenderme?

—Si paga usted...

—Pagaré lo que sea. Que me traigan un jergón y dos mantas.

El alcaide se fue, dejando a oscuras a Martín, y vino poco después con un jergón y las mantas pedidas. Le dio Martín un duro, y el carcelero, amansado, le preguntó:

—¿Qué ha hecho usted para que le traigan aquí?

—Nada. Venía, distraído, silbando por la calle. Y me ha dicho el sereno: «No se silba». Me he callado, y, sin más ni más, me han traído a la cárcel.

—¿Usted no se ha resistido?

—No.

—Entonces será por otra cosa por lo que le han encerrado.

Martín dijo que así se lo figuraba también él. Le dio las buenas noches el carcelero; contestó Zalacaín amablemente y se tendió en el suelo.

—Aquí estoy tan seguro como en la posada —se dijo—. Allí me tienen en sus manos, y aquí también; luego estoy igual. Durmamos. Veremos lo que se hace mañana.

A pesar de que su imaginación se le insubordinaba, pudo conciliar el sueño y descansar profundamente.

Cuando despertó, vio que entraba un rayo de sol por una alta ventana, iluminando el destartalado zaquizamí. Llamó a la puerta, vino el carcelero, y le preguntó:

—¿No le han dicho a usted por qué estoy preso?

—No.

—¿De manera que me van a tener encerrado sin motivo?

—Quizá sea una equivocación.

—Pues es un consuelo.

—¡Cosas de la vida! Aquí no le puede pasar a usted nada.

—¡Si le parece a usted poco estar en la cárcel!

—Eso no deshonra a nadie.

Martín se hizo el asustadizo y el tímido, y preguntó:

—¿Me traerá usted de comer?

—Sí. Hay hambre, ¿eh?

—Ya lo creo.

—¿No querrá usted rancho?

—No.

—Pues ahora le traerán la comida —y el carcelero se fue, cantando alegremente.

Comió Martín lo que le trajeron, se tendió envuelto en la manta y, después de un momento de siesta, se levantó a tomar una resolución.

—¿Qué podría hacer yo? —se dijo—. Sobornar al alcaide exigiría mucho dinero. Llamar a Bautista es comprometerle. Esperar aquí a que me suelten es exponerme a cárcel perpetua; por lo menos a estar preso hasta que la guerra termine... Hay que escaparse; no hay más remedio.

Con esta firme decisión, comenzó a pensar un plan de fuga. Salir por la puerta era difícil. La puerta, además de ser fuerte, se cerraba por fuera con llave y cerrojo. Después, aun en el caso de aprovechar una ocasión y poder salir de allá, quedaba por recorrer un pasillo largo, y luego unas escaleras... Imposible.

Había que escapar por la ventana. Era el único recurso.

—¿Adónde dará esto? —se dijo.

Arrimó el banco a la pared, se subió a él, se agarró a los barrotes, y a pulso se levantó hasta poder mirar por la reja. Daba el ventanillo a la plaza de la fuente, en donde el día anterior se había encontrado con el extranjero.

Saltó al suelo y se sentó en el banco. La reja era alta, pequeña, con tres barrotes sin travesaño.

—Arrancando uno, quizá pudiera pasar —se dijo Martín—. Y esto no sería difícil... Luego necesitaría una cuerda. ¿De dónde sacaría yo una cuerda...? La manta... la manta, cortada en tiras, me podía servir...

No tenía más instrumento que un cortaplumas pequeño.

—Hay que ver la solidez de la reja —murmuró.

Volvió a subir. Se hallaba la reja empotrada en la pared; pero no tenía gran resistencia.

Los barrotes estaban sujetos por un marco de madera, y el marco en un extremo se hallaba apolillado. Martín supuso que no sería difícil romper la madera y quitar el barrote de un lado.

Cortó una tira de la manta, y pasándola por el barrote de en medio y atándola después por los extremos, formó una abrazadera y metió dos patas del banco en este anillo y las otras dos las sujetó en el suelo.

Contaba así con una especie de plano inclinado para llegar a la reja. Subió por él, deslizándose; se agarró con la mano izquierda a un barrote, y con la derecha, armada del cortaplumas, comenzó a roer la madera del marco.

La postura no era cómoda, ni mucho menos; pero la constancia de Zalacaín no cejaba, y, tras de una hora de rudo trabajo, logró arrancar el barrote de su alvéolo.

Cuando lo tuvo ya suelto, lo volvió a poner como antes, quitó el banco de su posición oblicua, ocultó las astillas arrancadas del marco de la ventana en el jergón y esperó la noche.

El carcelero le llevó la cena, y Martín le preguntó con empeño si no habían dispuesto nada respecto a él, si pensaban tenerlo encerrado sin motivo alguno.

El carcelero se encogió de hombros y se retiró en seguida, tarareando.

Inmediatamente que Zalacaín se vio solo, puso manos a la obra.

Tenía la absoluta seguridad de poderse escapar. Sacó el cortaplumas y comenzó a cortar las dos mantas de arriba abajo. Hecho esto, fue atando las tiras una a otra, hasta formar una cuerda de quince brazas. Era lo que necesitaba.

Después pensó dejar un recuerdo alegre y divertido en la cárcel. Cogió la cantarilla del agua y le puso su boina y la dejó envuelta en el trozo que quedaba de manta.

—Cuando se asome el carcelero podrá creer que sigo aquí durmiendo. Si gano con esto un par de horas, me pueden servir admirablemente para escaparme.

Contempló el bulto con una sonrisa; luego subió a la reja, ató un cabo de la cuerda a los dos barrotes y el otro extremo lo echó fuera poco a poco. Cuando toda la cuerda quedó a lo largo de la pared, pasó el cuerpo con mil trabajos por la abertura que dejaba el barrote arrancado, y comenzó a descolgarse resbalándose por el muro.

Cruzó por delante de una ventana iluminada. Vio a alguien que se movía a través de un cristal. Estaba a cuatro o cinco metros de la calle, cuando oyó ruido de pasos. Se detuvo en su descenso, y ya comenzaban a dejar de oírse los pasos, cuando cayó a tierra, metiendo algún estrépito [65].

---

[65]   A propósito de la evasión puede recordarse que Baroja admite la influencia en *Zalacaín* «de las novelas de aventuras, porque yo he sido en mi juventud gran lector de folletines de evasiones célebres, de relatos de viajeros y espectador de melodramas truculentos» *(O. C.,* V, pág. 499). En *El escuadrón del «Brigante»* (VII, V), Aviraneta se fuga de la cárcel de un modo similar.

Uno de los nudos debía de haberse soltado, porque le quedaba un trozo de cuerda entre los dedos. Se levantó.

—No hay avería. No me he hecho nada —se dijo.

Al pasar por cerca de la fuente de la plaza tiró el resto de la cuerda al agua. Luego, deprisa, se dirigió por la calle de la Rúa.

Iba marchando, volviéndose para mirar atrás, cuando vio a la luz de un farol que oscilaba colgando de una cuerda dos hombres armados con fusiles, cuyas bayonetas brillaban de un modo siniestro. Estos hombres, sin duda, le seguían. Si se alejaba, iba a dar a la guardia de extramuros. No sabiendo qué hacer y viendo un portal abierto, entró en él, y empujando suavemente la puerta, la cerró.

Oyó el ruido de los pasos de los hombres en la acera. Esperó a que dejaran de oírse, y cuando estaba dispuesto a salir, bajó una mujer vieja al zaguán y echó la llave y el cerrojo de la puerta.

Martín se quedó encerrado. Volvieron a oírse los pasos de los que le perseguían.

—No se van —pensó.

Efectivamente, no sólo no se fueron, sino que llamaron en la casa con dos aldabonazos.

Apareció de nuevo la vieja con un farol y se puso al habla con los de fuera sin abrir.

—¿Ha entrado aquí algún hombre? —preguntó uno de los perseguidores.

—No.

—¿Quiere usted verlo bien? Somos de la ronda.

—Aquí no hay nadie.

—Registre usted el portal.

Martín, al oír esto, agazapándose, salió del portal y ganó la escalera. La vieja paseó la luz del farol por todo el zaguán y dijo:

—No hay nadie, no; no hay nadie.

Martín pretendió volver al zaguán, pero la vieja puso el farol de tal modo que iluminaba el comienzo de la escalera.

Martín no tuvo más remedio que retirarse hacia arriba y subir los escalones de dos en dos.

—Pasaremos aquí la noche —se dijo.

No había salida alguna. Lo mejor era esperar a que llegase el día y abriesen la puerta. No quería exponerse a que lo encontraran dentro estando la casa cerrada, y aguardó hasta muy entrada la mañana.

Serían cerca de las nueve cuando comenzó a bajar las escaleras cautelosamente. Al pasar por el primer piso vio en un cuarto muy lujoso, y extendido sobre un sofá, un uniforme de oficial carlista, con su boina y su espada. Tenía tal convencimiento Martín de que sólo a fuerza de audacia se salvaría, que se desnudó con rapidez, se puso el uniforme y la boina, luego se ciñó la espada, se echó el capote por encima y comenzó a bajar las escaleras, taconeando. Se encontró con la vieja de la noche anterior, y al verla le dijo:

—¿Pero no hay nadie en esta casa?

—¿Qué quería usted? No le había visto.

—¿Vive aquí el comandante don Carlos Ohando?

—No, señor, aquí no vive.

—¡Muchas gracias!

Martín salió a la calle, y embozado y con aire conquistador se dirigió a la posada en donde vivía Bautista.

—¡Tú! —exclamó Urbide—. ¿De dónde sales con ese uniforme? ¿Qué has hecho en todo el día de ayer? Estaba intranquilo. ¿Qué pasa?

—Todo lo contaré. ¿Tienes el coche?

—Sí, pero...

—Nada, tráetelo en seguida, lo más pronto que puedas. Pero a escape.

Martín se sentó a la mesa y escribió con lápiz en un papel: «Querida hermana. Necesito verte. Estoy herido, gravísimo. Ven inmediatamente en el coche con mi amigo Zalacaín. Tu hermano, Carlos».

Después de escribir el papel, Martín se paseó con impaciencia por el cuarto. Cada minuto le parecía un siglo. Dos horas larguísimas tuvo que estar esperando con angustias de muerte. Al fin, cerca de las doce, oyó un ruido de campanillas.

Se asomó al balcón. A la puerta aguardaba un coche tirado por cuatro caballos. Entre éstos distinguió Martín los dos jacos en cuyos lomos fueron desde Zumaya hasta Estella. El coche, un landó viejo y destartalado, tenía un cristal y uno de los faroles atados con una cuerda.

Bajó las escaleras Martín embozado en la capa, abrió la portezuela del coche, y dijo a Bautista:

—Al convento de Recoletas.

Bautista, sin replicar, se dirigió hacia el sitio indicado. Cuando el coche se detuvo frente al convento, Bautista, al salir Zalacaín, le dijo:

—¿Qué disparate vas a hacer? Reflexiona.

—¿Tú sabes cuál es el camino de Logroño? —preguntó Martín.

—Sí.

—Pues toma por allá.

—Pero. .

—Nada, nada; toma por allá. Al principio marcha despacio para no cansar a los caballos, porque luego habrá que correr.

Hecha esta recomendación, Martín, muy erguido, se dirigió al convento.

—Aquí va a pasar algo gordo —se dijo Bautista preparándose para la catástrofe.

Llamó Martín, entró en el portal, preguntó a la hermana tornera por la señorita de Ohando y le dijo que necesitaba darle una carta. Le hicieron pasar al locutorio y se encontró allí con Catalina y una monja gruesa, que era la superiora. Las saludó profundamente y preguntó:

—¿La señorita de Ohando?

—Soy yo.

—Traigo una carta para usted de su hermano.

Catalina palideció y le temblaron las manos de la emoción. La superiora, una mujer gruesa, de color de marfil, con los ojos grandes y oscuros como dos manchas negras que le co-

gían la mitad de la cara y varios lunares en la barbilla, preguntó:

—¿Qué pasa? ¿Qué dice ese papel?

—Dice que mi hermano está grave..., que vaya —balbuceó
Catalina.

—¿Está tan grave? —preguntó la superiora a Martín.

—Sí, creo que sí.

—¿En dónde se encuentra?

—En una casa de la carretera de Logroño —dijo Martín.

—¿Hacia Azqueta, quizá?

—Sí, cerca de Azqueta. Le han herido en un reconoci-
miento.

—Bueno. Vamos —dijo la superiora—. Que venga también
el señor Benito el demandadero.

Martín no se opuso, y esperó a que se preparasen para
acompañarlas. Al salir los cuatro a tomar el coche, y al verles
Bautista desde lo alto del pescante, no pudo menos de hacer
una mueca de asombro. El demandadero montó junto a él.

—Vamos —dijo Martín a Bautista.

El coche partió; la misma superiora bajó las cortinas, y, sacando un rosario, comenzó a rezar. Recorrió el coche la calle
Mayor, atravesó el puente del Azucarero, la calle de San Nico-
lás, y tomó por la carretera de Logroño.

Al salir del pueblo, una patrulla carlista se acercó al coche.
Alguien abrió la portezuela y la volvió a cerrar en seguida.

—Va la madre superiora de las Recoletas a visitar a un enfermo —dijo el demandadero con voz gangosa.

El coche siguió adelante, al trote lento de los caballos. Llo-
viznaba, la noche estaba negra, no brillaba ni una estrella en el
cielo. Se pasó una aldea; luego, otra.

—¡Qué lentitud! —exclamó la monja.

—Es que los caballos son muy malos —contestó Martín.

Pasaron deprisa otra aldea, y cuando no tenían delante ni
atrás pueblos ni casas próximos, Bautista aminoró la marcha.
Comenzaba a anochecer.

—¿Pero qué pasa? —dijo de pronto la superiora—. ¿No llegamos todavía?

—Pasa, señora —contestó Zalacaín—, que tenemos que seguir adelante.

—¿Y por qué?

—Hay esa orden.

—¿Y quién ha dado esa orden?

—Es un secreto.

—Pues hagan el favor de parar el coche, porque voy a bajar.

—Si quiere usted bajar sola, puede usted hacerlo.

—No, iré con Catalina.

—Imposible.

La superiora lanzó una mirada furiosa a Catalina, y, al ver que bajaba los ojos, exclamó:

—¡Ah! Estaban entendidos.

—Sí, estamos entendidos —contestó Martín—. Esta señorita es mi novia, y no quiere estar en el convento, sino casarse conmigo.

—No es verdad; yo lo impediré.

—Usted no lo impedirá, porque no podrá impedirlo.

La superiora se calló. Siguió el coche en su marcha pesada y monótona por la carretera. Era ya medianoche cuando llegaron a la vista de Los Arcos.

Doscientos metros antes detuvo Bautista los caballos y saltó del pescante.

—Tú —le dijo a Zalacaín en vascuence—, tenemos un caballo aspeado; si pudieras cambiarlo aquí...

—Intentaremos.

—Y si se pudieran cambiar los dos, sería mejor.

—Voy a ver. Cuidado con el demandadero y con la monja, que no salgan.

Desenganchó Martín los caballos y fue con ellos a la venta.

Le salió al paso una muchacha redondita, muy bonita y de muy mal humor. Le dijo Martín lo que necesitaba, y ella replicó que era imposible, que el amo estaba acostado.

—Pues hay que despertarle.

Llamaron al posadero, y éste presentó una porción de obs-táculos, adujo toda clase de pretextos; pero al ver el uniforme de Martín se avino a obedecer, y mandó despertar al mozo. El mozo no estaba.

—Ya ve usted, no está el mozo.

—Ayúdeme usted, no tenga usted mal genio —le dijo Mar-tín a la muchacha, tomándole la mano y dándole un duro—. Me juego la vida en esto.

La muchacha guardó el duro en el delantal, y ella misma sacó dos caballos de la cuadra y fue con ellos cantando alegremente:

> La Virgen del Puy de Estella
> le dijo a la del Pilar:
> Si tú eres aragonesa,
> yo soy navarra y con sal.

Martín pagó al posadero, y quedó con él de acuerdo en el sitio en donde tenía que dejar los caballos en Logroño.

Entre Bautista, Martín y la moza reemplazaron el tiro por completo. Martín acompañó a la muchacha, y cuando la vio sola la estrechó por la cintura y la besó en la mejilla.

—¡También usted es posma! —exclamó ella con desgarro.

—Es que usted es navarra y con sal, y yo quiero probar esa sal —replicó Martín.

—Pues tenga usted cuidado no le haga daño. ¿Quién lleva usted en el coche?

—Unas viejas.

—¿Volverá usted por aquí?

—En cuanto pueda.

—Pues, adiós.

—Adiós, hermosa. Oiga usted. Si le preguntan por dónde hemos ido, diga usted que nos hemos quedado aquí.

—Bueno, así lo haré.

El coche pasó por delante de Los Arcos. Al llegar cerca de Sansol, cuatro hombres se plantaron en el camino.

—¡Alto! —gritó uno de ellos, que llevaba un farol.

Martín saltó del coche y desenvainó la espada.

—¿Quién es? —preguntó.

—Voluntarios realistas —dijeron ellos.

—¿Qué quieren?

—Ver si tienen ustedes pasaporte.

Martín sacó el salvoconducto y lo enseñó. Un viejo de aire respetable tomó el papel y se puso a leerlo.

—¿No ve usted que soy oficial? —preguntó Martín.

—No importa —replicó el viejo—. ¿Quién va adentro?

—Dos madres recoletas que marchan a Logroño.

—¿No saben ustedes que en Viana están los liberales? —preguntó el viejo.

—No importa, pasaremos.

—Vamos a ver a esas señoras —murmuró el vejete.

—¡Eh, Bautista! Ten cuidado —dijo Martín en vasco.

Descendió Urbide del pescante y tras él saltó el demandadero. El viejo jefe de la patrulla abrió la portezuela del coche y echó la luz del farol al rostro de las viajeras.

—¿Quiénes son ustedes? —preguntó la superiora con presteza.

—Somos voluntarios de Carlos VII.

—Entonces que nos detengan. Estos hombres nos llevan secuestradas.

No acababa de decir esto, cuando Martín dio una patada al farol que llevaba el viejo; y, después, de un empujón, echó al anciano respetable a la cuneta de la carretera. Bautista arrancó el fusil al otro de la ronda, y el demandadero se vio acometido por dos hombres a la vez.

—¡Pero si yo no soy de éstos! Yo soy carlista —gritó el demandadero.

Los hombres, convencidos, se echaron sobre Zalacaín; éste cerró contra los dos; uno de los voluntarios le dio un bayonetazo en el hombro izquierdo, y Martín, furioso por el dolor, le tiró una estocada, que le atravesó de parte a parte.

La patrulla se había declarado en fuga, dejando un fusil en el suelo.

—¿Estás herido? —preguntó Bautista a su cuñado.

—Sí, pero creo que no es nada. ¡Hala, vámonos!

—¿Llevamos este fusil?

—Sí; quítale la cartuchera a ese que yo he tumbado, y vamos andando.

Bautista entregó un fusil y una pistola a Martín.

—Vamos, ¡adentro! —dijo Martín al demandadero.

Éste se metió temblando en el coche, que partió, llevado al galope por los caballos. Pasaron por en medio de un pueblo. Algunas ventanas se abrieron y salieron los vecinos, creyendo, sin duda, que pasaba un furgón de artillería. A la media hora Bautista se paró. Se había roto una correa y tuvieron que arreglarla, haciéndole un agujero con el cortaplumas. Estaba cayendo un chaparrón, que convertía la carretera en un barrizal.

—Habrá que ir más despacio —dijo Martín.

Efectivamente, comenzaron a marchar más despacio; pero, al cabo de un cuarto de hora, se oyó a lo lejos como un galope de caballos. Martín se asomó a la ventana; indudablemente, los perseguían.

El ruido de las herraduras se iba acercando por momentos.

—¡Alto! ¡Alto! —se oyó gritar.

Bautista azotó los caballos y el coche tomó una carrera vertiginosa. Al llegar a las curvas el viejo landó se torcía y rechinaba como si fuera a hacerse pedazos. La superiora y Catalina rezaban; el demandadero gemía en el fondo del coche.

—¡Alto! ¡Alto! —gritaron de nuevo.

—¡Adelante, Bautista! ¡Adelante! —dijo Martín, sacando la cabeza por la ventanilla.

En aquel momento sonó un tiro, y una bala pasó silbando a poca distancia. Martín cargó la pistola, vio un caballo y un jinete que se acercaban al coche, hizo fuego y el caballo cayó pesadamente al suelo. Los perseguidores dispararon sobre el coche, que fue atravesado por las balas. Entonces Martín cargó el fusil y, sacando el cuerpo por la ventanilla, comenzó a hacer disparos atendiendo al ruido de las pisadas de los caballos; los que les seguían disparaban también, pero la noche estaba negra y ni Martín ni los perseguidores afinaban la puntería. Bautista, agazapado en el pescante, llevaba los caballos al galope; ninguno de los animales estaba herido; la cosa iba bien.

Al amanecer cesó la persecución. Ya no se veía a nadie en la carretera.

—Creo que podemos parar —gritó Bautista—. ¿Eh? Llevamos otra vez el tiro roto. ¿Paramos?

—Sí, para —dijo Martín—; no se ve a nadie.

Paró Bautista, y tuvieron que componer de nuevo otra correa.

El demandadero rezaba y gemía en el coche; Zalacaín le hizo salir de dentro a empujones.

—Anda, al pescante —le dijo—. ¿Es que tú no tienes sangre en las venas, sacristán de los demonios? —le preguntó.

—Yo soy pacífico y no me gusta mezclarme en estas cosas ni hacer daño a nadie —contestó refunfuñando.

—¿No serás tú una monja disfrazada?

—No, soy un hombre.

—¿No te habrás equivocado?

—No, soy un hombre, un pobre hombre, si le parece a usted mejor.

—Eso no impedirá que te metan unas píldoras de plomo en esa grasa fría que forma tu cuerpo.

—¡Qué horror!

—Por eso debes comprender, hombre linfático, que cuando se encuentra uno en el caso de morir o de matar, no puede uno andarse con tonterías ni con rezos.

Las palabras rudas de Martín reanimaron un poco al demandadero.

Al subir Bautista al pescante le dijo Martín:

—¿Quieres que guíe yo ahora?

—No, no. Yo voy bien. Y tú, ¿cómo tienes la herida?

—No debe de ser nada.

—¿Vamos a verla?

—Luego, luego; no hay que perder tiempo.

Martín abrió la portezuela, y al sentarse, dirigiéndose a la superiora, dijo:

—Respecto a usted, señora, si vuelve usted a chillar, la voy a atar a un árbol y a dejarla en la carretera.

Catalina, asustadísima, lloraba. Bautista subió al pescante y el demandadero con él. Comenzó el carruaje a marchar despacio; pero, al poco tiempo, volvieron a oírse como pisadas de caballos.

Ya no quedaban municiones; los caballos del coche estaban cansados.

—Vamos, Bautista, un esfuerzo —gritó Martín, sacando la cabeza por la ventanilla—. ¡Así! Echando chispas.

Bautista, excitado, gritaba y chasqueaba el látigo. El coche pasaba con la rapidez de una exhalación, y pronto dejó de oírse detrás el ruido de pisadas de caballos.

Ya estaba clareando; nubarrones de plomo corrían a impulsos del viento, y en el fondo del cielo rojizo y triste del alba se adivinaba un pueblo en un alto. Debía de ser Viana.

Al acercarse a él, el coche tropezó con una piedra, se soltó una de las ruedas, la caja se inclinó y vino a tierra. Todos los viajeros cayeron revueltos en el barro. Martín se levantó primero y tomó en brazos a Catalina.

—¿Tienes algo? —le dijo.

—No; creo que no —contestó ella, gimiendo.

La superiora se había hecho un chichón en la frente y el demandadero, dislocado una muñeca.

—No hay averías importantes —dijo Martín—. ¡Adelante!

Los viajeros entonaban un coro de quejas y de lamentos.

—Desengancharemos y montaremos a caballo —dijo Bautista.

—Yo, no. Yo no me muevo de aquí —replicó la superiora.

La llegada del coche y su batacazo no habían pasado inadvertidos, porque, pocos momentos después, avanzó del lado de Viana media compañía de soldados.

—Son los *guiris*[66] —dijo Bautista a Martín.

—Me alegro.

La media compañía se acercó al grupo.

—¡Alto! —gritó el sargento—. ¿Quién vive?

—España.

—Daos prisioneros.

—No nos resistimos.

El sargento y su tropa quedaron asombrados, al ver a un militar carlista, a dos monjas y a sus acompañantes llenos de barro.

—Vamos hacia el pueblo —les ordenaron.

Todos juntos, escoltados por los soldados, llegaron a Viana. Un teniente que apareció en la carretera preguntó:

—¿Qué hay, sargento?

—Traemos prisioneros a un general carlista y a dos monjas.

Martín se preguntó por qué le llamaba el sargento general carlista; pero, al ver que el teniente le saludaba, comprendió que el uniforme, cogido por él en Estella, era de un general.

---

[66] *Guiri:* del vasc. *guiristino*, 'cristino': nombre con que, durante las guerras civiles del siglo XIX, designaban los carlistas a los partidarios de la reina Cristina, y después a todos los liberales, y en especial a los soldados del gobierno (*DRAE*).

CAPÍTULO XIII

CÓMO LLEGARON A LOGROÑO Y LO QUE LES OCURRIÓ

Hicieron entrar a todos en el cuerpo de guardia, en donde, tendidos en camastros, dormían unos cuantos soldados, y otros se calentaban al calor de un gran brasero. Martín fue tratado con mucha consideración por su uniforme. Rogó al oficial le dejara estar a Catalina a su lado.

—¿Es la señora de usted?

—Sí, es mi mujer.

El oficial accedió y pasó a los dos a un cuarto destartalado que servía para los oficiales.

La superiora, Bautista y el demandadero no merecieron las mismas atenciones y quedaron en el cuartelillo.

Un sargento viejo, andaluz, se amarteló con la superiora y comenzó a echarle piropos de los clásicos; le dijo que tenía *loz ojoz* como *doz luceroz* y que se parecía a la Vigen de *Conzolación* de Utrera, y le contó otra porción de cosas del repertorio de los almanaques.

A Bautista le dieron tal risa los piropos del andaluz, que comenzó a reírse con una risa contenida.

—A ver *zi* te *callaz,* cochino carca —le dijo el sargento.

—Si yo no digo nada —replicó Bautista.

—*Zi* te *ziguez* riendo *azí,* te voy a *clavá* como a un *zapo.*

Bautista tuvo que ir a un rincón a reírse, y la superiora y el sargento siguieron su conversación.

Al mediodía llegó un coronel, que al ver a Martín le saludó militarmente. Martín le contó sus aventuras; pero el coronel, al oírlas, frunció las cejas.

—A estos militares —pensó Martín— no les gusta que un paisano haga cosas más difíciles que las suyas.

—Irán ustedes a Logroño, y allí veremos si identifican su personalidad. ¿Qué tiene usted? ¿Está usted herido?

—Sí.

—Ahora vendrá el físico[67] a reconocerle.

Efectivamente; llegó un doctor que reconoció a Martín, le vendó y redujo la dislocación del mandadero, que gritó y chilló como un condenado. Después de comer trajeron los caballos del coche, les obligaron a montar en ellos, y, custodiados por toda la compañía, tomaron el camino de Logroño.

Al llegar cerca del puente sobre el Ebro, una porción de lavanderas y de mujeres de carabineros salieron a ver la extraña comitiva, y varias de ellas comenzaron a cantar, sobre todo dirigiéndose a la monja:

> Ahora sí que estarás contentona,
> carlistona, mandilona;
> ahora sí que estarás contentón,
> carlistón, mandilón, cobardón.

La pobre superiora estaba lívida de rabia. Martín y Bautista se miraban con cierto cómico estupor.

En Logroño pararon en el cuartel, y un oficial hizo subir a Martín a ver al general. Le contó Zalacaín sus aventuras, y el general le dijo:

—Si yo tuviera la seguridad de que lo que me dice usted es cierto, inmediatamente dejaría libre a usted y a sus compañeros.

—¿Y yo cómo voy a probar la verdad de mis palabras?

---

[67] Arcaísmo, por 'médico'.

—¡Si pudiera usted identificar su persona! ¿No conoce usted aquí a nadie? ¿Algún comerciante?

—No.

—Es lástima.

—Sí, sí; conozco a una persona —dijo de pronto Martín—; conozco a la señora de Briones y a su hija.

—¿Y al capitán Briones, también lo conocerá usted?

—También.

—Pues lo voy a llamar; dentro de un momento estará aquí.

El general mandó un ayudante suyo, y media hora después estaba el capitán Briones, que reconoció a Martín. El general los dejó a todos libres.

Martín, Catalina y Bautista iban a marcharse juntos, a pesar de la oposición de la superiora, cuando el capitán Briones dijo:

—Amigo Zalacaín, mi madre y mi hermana exigen que vaya usted a comer con ellas.

Martín explicó a su novia cómo no le era posible desatender la invitación, y dejando a Bautista y a Catalina fue en compañía del oficial.

La casa de la señora de Briones estaba en una calle céntrica, con soportales.

Rosita y su madre recibieron a Martín con grandes muestras de amistad. La aventura de su llegada a Logroño con una señorita y una monja había corrido por todas partes.

Madre e hija le preguntaron un sinfín de cosas, y Martín tuvo que contar sus aventuras.

—¡Pero qué muchacho! —decía doña Pepita, haciéndose cruces—. Usted es un verdadero diablo.

Después de comer vinieron unas señoritas amigas de Rosa Briones, y Martín tuvo que contar de nuevo sus aventuras. Luego se habló de sobremesa y se cantó. Martín pensaba: ¿Qué hará Catalina? Pero luego se olvidaba con la conversación.

Doña Pepita dijo que su hija había tenido el capricho de aprender la guitarra, e incitó a Rosita para que cantara.

—Sí, canta —dijeron las demás muchachas.

—Sí, cante usted —añadió Zalacaín.

Rosita sacó la guitarra y cantó algunas canciones, acompañándose con ella, y luego, como en honor de Martín, entonó un zortzico con letra castellana, que comenzaba así:

Aunque la oración suene
yo no me voy de aquí;
la del pañuelo rojo
loco me ha vuelto a mí.

Y el estribillo de la canción era:

Aufa, que el campanero
la oración va a tocar.
Aufa que yo te quiero,
Maitia, Maitia, ven acá.

Y Rosita, al cantar esto, miraba a Martín de tal manera, con los ojos brillantes y negros, que él se olvidó de que le esperaba Catalina.

Cuando salió de casa de la señora de Briones eran cerca de las once de la noche. Al encontrarse en la calle comprendió su falta brutal de atención. Fue a buscar a su novia, preguntando en los hoteles. La mayoría estaban cerrados. En uno del Espolón le dijeron: «Aquí ha venido una señorita, pero está descansando en su cuarto».

—¿No podría usted avisarla?

—No.

Bautista tampoco aparecía.

Sin saber qué hacer volvió Martín a los soportales y se puso a pasear por ellos. Si no fuera por Catalina —pensó— era capaz de quedarme aquí y ver si Rosita Briones está de veras por mí, como parece.

Estaba embebido en estos pensamientos cuando un hombre, con aspecto de criado, se paró ante él y le dijo:

—¿Es usted don Martín Zalacaín?

—El mismo.

—¿Quiere usted venir conmigo? Mi señora quiere hablarle.

—¿Y quién es la señora de usted?

—Me ha encargado que le diga que es una amiga de su infancia.

—¿Una amiga de mi infancia?

—Sí.

—No es posible —pensó Zalacaín—. ¿Si habré conocido en mi infancia a alguien que tenga criados sin saberlo? En fin, vamos a ver a mi amiga —dijo en voz alta.

El criado siguió por los soportales, torció una esquina, y en una casa grande empujó la puerta y entró en un zaguán elegante, iluminado por un gran farol.

—Pase el señorito —dijo el criado, indicándole una escalera alfombrada.

—Debe haber una equivocación —pensó Martín—. No es posible otra cosa.

Subieron la escalera; el criado levantó una cortina, y pasó Zalacaín. Sentada en un sofá y hojeando un álbum, había una mujer desconocida, una mujer pequeña, delgada, rubia, elegantísima.

—Perdone usted, señora —dijo Martín—; creo que usted y yo somos víctimas de una equivocación.

—Yo, por mi parte, no —contestó ella riendo, con una risa zumbona.

—¿Quiere algo más la señora? —preguntó el criado.

—No, puede usted retirarse.

Martín quedó asombrado. El criado echó la pesada cortina, y quedaron solos.

—Martín —dijo la dama, levantándose de su silla y poniéndole las manos pequeñas en sus hombros—. ¿No te acuerdas de mí?

—No, la verdad.

—Soy Linda.

—¿Qué Linda?

—Linda, la que estuvo en Urbía cuando fue el domador y murió tu madre. ¿No te acuerdas?

—¿Usted es Linda?

—¡Oh, no me hables de usted! Sí, yo soy Linda. He sabido cómo habías venido a Logroño, y he mandado que te buscaran.

—¿De manera que tú eres aquella chiquilla que jugaba con el oso?

—La misma.

—¿Y me has conocido?

—Sí.

—Yo no te hubiera conocido.

—Habla, cuéntame tu vida. Tú no sabes la gana que tenía de verte. Eres el único hombre por quien me han pegado. ¿Te acuerdas? Para mí constituías toda mi familia. ¿Qué hará? ¿Dónde estará Martín? —pensaba.

—¿De veras? ¡Qué extraño! ¡Hace de esto tanto tiempo! Y somos jóvenes los dos.

—¡Cuenta! ¡Cuenta! ¿Cuál ha sido tu vida? ¿Qué has hecho por el mundo?

Martín, emocionado, habló de su vida, de sus aventuras. Luego, Linda contó las suyas, su existencia bohemia de volatinera, hasta que un señor rico la sacó del circo y le brindó con su protección. Ahora, este señor, título, con grandes posesiones en La Rioja, quería casarse con ella.

—¿Y tú te vas a casar? —le preguntó Martín.

—Claro.

—¿De manera que dentro de poco serás una señora condesa o marquesa?

—Sí, marquesa; pero, chico, esto no me entusiasma. He vivido siempre libre, y ya las cadenas no son para mí, aunque sean de oro. Pero estás pálido. ¿Qué te pasa?

Martín sentía un gran cansancio y le dolía el hombro. Linda, al saber que estaba herido, le obligó a quedarse allí.

Afortunadamente, el rasguño no era grave, y Zalacaín curó pronto.

Al día siguiente, Linda no le dejó salir; y al verse dominado por ella, por su suave encanto, encontró el herido que sus convalecencias eran más peligrosas para sus sentimientos que para su salud.

—Que le avisen a mi cuñado dónde estoy —dijo Martín varias veces a Linda.

Ésta envió un criado a los hoteles; pero en ninguno daban noticias ni de Bautista ni de Catalina.

CAPÍTULO XIV

CÓMO ZALACAÍN Y BAUTISTA URBIDE TOMARON, LOS DOS SOLOS, LA CIUDAD DE LAGUARDIA, OCUPADA POR LOS CARLISTAS

De conocer Martín la *Odisea,* es posible que hubiese tenido la pretensión de comparar a Linda con la hechicera Circe, y a sí mismo con Ulises; pero como no había leído el poema de Homero, no se le ocurrió tal comparación.

Sí se le ocurrió varias veces que se estaba portando como un bellaco. ¡Pero Linda era tan encantadora! ¡Tenía por él tan grande entusiasmo! Le había hecho olvidar a Catalina. Muchos días maldecía de su barbarie, pero no se determinaba a marcharse. Decidió, en su fuero interno, que la culpa de todo era de Bautista, y esta decisión le tranquilizó.

—¿Dónde se ha metido ese hombre? —se preguntaba.

Una semana después del encuentro con Linda, al pasar por los soportales de la calle principal de Logroño, se encontró con Bautista, que venía hacia él, indiferente y tranquilo, como de costumbre.

—Pero ¿dónde estás? —exclamó Martín incomodado.

—Eso te pregunto yo: ¿dónde estás? —contestó Bautista.

—¿Y Catalina?

—¡Qué sé yo! Yo creí que tú sabrías dónde estaba, que os habíais marchado los dos sin decirme nada.

—¿De manera que no sabes...?

—Yo, no.

—¿Cuándo hablaste tú con ella por última vez?

—El mismo día de llegar aquí: hace ocho días. Cuando tú te fuiste a comer a casa de la señora de Briones, Catalina, la monja y yo nos fuimos a la fonda. Pasó el tiempo, pasó el tiempo, y tú no venías. «¿Pero dónde está?», preguntaba Catalina. «¿Qué sé yo?», le decía. A la una de la mañana, viendo que tú no venías, me fui a la cama. Estaba molido. Me dormí y me desperté muy tarde, y me encontré con que la monja y Catalina se habían marchado y tú no habías venido. Esperé un día, y como no aparecía nadie, creí que os habíais marchado, y me fui a Bayona y dejé las letras en casa de Levi-Álvarez. Luego, tu hermana empezó a decirme: «¿Pero dónde estará Martín? ¿Le ha pasado algo?». Escribí a Briones, y me contestó que estabas aquí escandalizando el pueblo, y por eso he venido.

—Sí, la verdad es que yo tengo la culpa —dijo Martín—. ¿Pero dónde puede estar Catalina? ¿Habrá seguido a la monja?

—Es lo más probable.

Martín, al encontrarse con Bautista y hablar con él, se sintió fuera de la influencia del hechizo de Linda y comenzó a hacer indagaciones con una actividad extraordinaria. De las dos viajeras del hotel, se habían marchado el mismo día, una, según había dicho, por la estación, la otra, en un coche hacia Laguardia.

Martín y Bautista supusieron si las dos estarían refugiadas en Laguardia. Sin duda, la monja recuperó su ascendiente sobre Catalina, en vista de la falta de Martín, y la convenció de que volviera con ella al convento.

Era imposible que Catalina, encontrándose en otro lado, no hubiese escrito.

Se dedicaron a seguir la pista de la monja. Averiguaron en la venta de Asa que, días antes, un coche con la monja intentó pasar a Laguardia; pero, al ver la carretera ocupada por el ejército liberal, sitiando la ciudad y atacando las trincheras, retrocedió. Suponían los de la venta que la monja habría vuelto a

Logroño, a no ser que intentara entrar en la ciudad sitiada, tomando en caballería el camino de Lanciego, por Oyón y Venaspre.

Marcharon a Oyón y luego a Yécora, pero nadie les pudo dar razón. Los dos pueblos estaban casi abandonados.

Desde aquel camino alto se veía Laguardia, rodeada de su muralla, en medio de una explanada enorme. Hacia el norte, limitaba esta explanada como una muralla gris la cordillera de Cantabria; hacia el sur, podía extenderse la vista hasta los montes de Pancorbo.

En este polígono amarillento de Laguardia no se destacaban ni tejados ni campanarios, no parecía aquello un pueblo, sino más bien una fortaleza. En un extremo de la muralla se erguía un torreón, envuelto en aquel instante en una densa humareda [68].

Al salir de Yécora, un hombre famélico y destrozado les salió al encuentro y habló con ellos. Les contó que los carlistas iban a abandonar Laguardia un día u otro. Le preguntó Martín si era posible entrar en la ciudad.

—Por la puerta es imposible —dijo el hombre—: pero yo he entrado subiendo por unos agujeros que hay en el muro, entre la puerta de Paganos y la del Mercadal [69].

—¿Pero y los centinelas?

—No suele haber muchas veces.

Bajaron Martín y Bautista por una senda desde Lanciego a la carretera y llegaron al sitio donde acampaba el ejército liberal. La tropa, después de cañonear las trincheras carlistas, avanzaba, y el enemigo abandonaba sus posiciones, refugiándose en los muros.

---

[68] Comp. la descripción más detallada de Laguardia en *El aprendiz de conspirador,* II, I.

[69] Véase *El aprendiz de conspirador,* II, I: «También se aseguraba que había sitios por donde se podía entrar y salir de la ciudad sin ser visto [...] Se habían hecho investigaciones sin resultado; pero los que afirmaban la existencia de las salidas secretas no se convencieron».

El regimiento del capitán Briones se encontraba en las avanzadas. Martín preguntó por él y lo encontró. Briones presentó a Zalacaín y a Bautista a algunos oficiales compañeros suyos, y por la noche tuvieron una partida de cartas y jugaron y bebieron. Ganó Martín, y uno de los compañeros de Briones, un teniente aragonés, que había perdido toda su paga, comenzó, para vengarse, a hablar mal de los vascongados, y Zalacaín y él se enzarzaron en una estúpida discusión de amor propio regional, de ésas tan frecuentes en España.

Decía el teniente aragonés que los vascongados eran tan torpes, que un capitán carlista, para enseñarles a marchar a la derecha y a la izquierda, llevaba un manojo de paja en la mano y les decía, por ejemplo: ¡Doble derecha! Y en seguida pasaba el manojo a la derecha, y decía: ¡Hacia el lado de la paja! Además, según el oficial, los vascongados eran unos poltrones que no se querían batir más que estando cerca de sus casas.

Martín se estaba amoscando, y dijo al oficial:

—Yo no sé cómo serán los vascongados; pero lo que le puedo decir a usted es que lo que usted o cualquiera de estos señores haga, lo hago yo por debajo de la pierna.

—Y yo —dijo Bautista, colocándose al lado de Martín.

—Vamos, hombre —dijo Briones—. No sean ustedes tontos. El teniente Ramírez no ha querido ofenderles.

—No nos ha llamado más que estúpidos y cobardes —dijo riendo Martín—. Claro que a mí no me importa nada lo que este señor opine de nosotros; pero me gustaría encontrar una ocasión para probarle que está equivocado.

—Salga usted —dijo el teniente.

—Cuando usted quiera —contestó Martín.

—No —replicó Briones—, yo lo prohíbo. El teniente Ramírez quedará arrestado.

—Está bien —dijo, refunfuñando, el aludido.

—Si estos señores quieren un poco de jaleo, cuando tomemos Laguardia pueden venir con nosotros —advirtió el oficial.

Martín creyó ver alguna ironía en las palabras del oficial y replicó burlonamente:

—¡Cuando tomen ustedes Laguardia! No, hombre. Eso no es nada para nosotros. Yo voy solo a Laguardia y la tomo, o, a lo más, con mi cuñado Bautista.

Se echaron todos a reír de la fanfarronada; pero viendo que Martín insistía, diciendo que aquella misma noche iban a entrar en la ciudad sitiada, pensaron que Martín estaba loco. Briones, que le conocía, trató de disuadirle de hacer esta barbaridad, pero Zalacaín no se convenció.

—¿Ven ustedes este pañuelo blanco? —dijo—. Mañana al amanecer lo verán ustedes en este palo flotando sobre Laguardia. ¿Habrá por aquí una cuerda?

Uno de los oficiales jóvenes trajo una cuerda, y Martín y Bautista, sin hacer caso de las palabras de Briones, avanzaron por la carretera.

El frío de la noche les serenó, y Martín y su cuñado se miraron algo extrañados. Se dice que los antiguos godos tenían la costumbre de resolver sus asuntos dos veces: una, borrachos, y otra, serenos. De esta manera unían en sus decisiones el atrevimiento y la prudencia. Martín sintió no haber seguido esta prudente táctica goda, pero se calló y dio a entender que no se encontraba en uno de los momentos regocijados de su vida.

—¿Qué? ¿Vamos a ir? —preguntó Bautista.

—Probaremos.

Se acercaron a Laguardia. A poca distancia de sus muros tomaron a la izquierda, por la senda de las Damas, hasta salir al camino de El Ciego, y cruzando éste se acercaron a la altura en donde se asienta la ciudad. Dejaron a un lado el cementerio y llegaron a un paseo con árboles que circunda el pueblo [70].

Debían de encontrarse en el punto indicado por el hombre de Yécora: entre la puerta del Mercadal y la de Paganos.

---

[70]   Comp. *El aprendiz de conspirador* (II, 1), novela situada en el marco de la primera guerra carlista, donde se indica, al hablar de Laguardia: «Los hermosos nogales, que antes daban sombra al paseo exterior, habían sido talados, para impedir una sorpresa del enemigo».

Efectivamente, el sitio era aquél. Distinguieron los agujeros en el muro que servía de escalera; los de abajo estaban ta-
pados.

—Podríamos abrir estos boquetes —dijo Bautista.

—¡Hum! Tardaríamos mucho —contestó Martín—. Súbete
encima de mí a ver si llegas. Toma la cuerda.

Bautista se encaramó sobre los hombros de Martín, y luego,
viendo que se podía subir sin dificultad, escaló la muralla
hasta lo alto. Asomó la cabeza y, viendo que no había vigilancia, saltó encima.

—¿Nadie? —dijo Martín.

—Nadie.

Sujetó Bautista la cuerda con un lazo corredizo en un án-
gulo de un torreón y subió Martín a pulso, con el palo en los
dientes.

Se deslizaron los dos por el borde de la muralla hasta enfi-
lar una calleja. Ni guardia, ni centinela; no se veía ni se oía
nada. El pueblo parecía muerto.

—¿Qué pasará aquí? —se dijo Martín.

Se acercaron al otro extremo de la ciudad. El mismo silencio. Nadie. Indudablemente, los carlistas habían huido de Laguardia.

Martín y Bautista adquirieron el convencimiento de que el
pueblo estaba abandonado. Avanzaron con esta confianza
hasta cerca de la puerta del Mercadal, y enfrente del cementerio, hacia la carretera de Logroño, sujetaron entre dos piedras
el palo y ataron en su punta el pañuelo blanco.

Hecho esto volvieron deprisa al punto por donde habían subido. La cuerda seguía en el mismo sitio. Amanecía. Desde
allá arriba se veía una enorme extensión de campo. La luz comenzaba a indicar las sombras de los viñedos y de los oliva-
res. El viento fresco anunciaba la proximidad del día.

—Bueno, baja —dijo Martín—. Yo sujetaré la cuerda.

—No, baja tú —replicó Bautista.

—Vamos, no seas imbécil.

—¿Quién vive? —gritó una voz en aquel mismo momento.

Ninguno de los dos contestó. Bautista comenzó a bajar despacio. Martín se tendió en la muralla.

—¿Quién vive? —volvió a gritar el centinela.

Martín se aplastó en el suelo todo lo que pudo; sonó un disparo y una bala pasó por encima de su cabeza. Afortunadamente, el centinela estaba lejos. Cuando Bautista descendió, Martín comenzó a bajar. Tuvo la suerte de que la cuerda no se deslizase. Bautista le esperaba con el alma en un hilo. Había movimiento en la muralla; cuatro o cinco hombres se asomaron a ella, y Martín y Bautista se escondieron tras de los árboles del paseo que circundaba el pueblo. Lo malo era que aclaraba cada vez más. Fueron pasando de árbol a árbol hasta llegar cerca del cementerio.

—Ahora no hay más remedio que echar a correr a la descubierta —dijo Martín—. A la una..., a las dos... Vamos allá.

Echaron los dos a correr. Sonaron varios tiros. Ambos llegaron ilesos al cementerio. De aquí ganaron pronto el camino de Logroño. Ya fuera de peligro, miraron hacia atrás. El pañuelo seguía en la muralla ondeando al viento. Briones y sus amigos recibieron a Martín y a Bautista como a héroes.

Al día siguiente los carlistas abandonaron Laguardia y se refugiaron en Peñacerrada. La población enarboló bandera de parlamento, y el ejército, con el general al frente, entraba en la ciudad.

Por más que Martín y Bautista preguntaron en todas las casas, no encontraron a Catalina.

LIBRO TERCERO
LAS ÚLTIMAS AVENTURAS

CAPÍTULO I

LOS RECIÉN CASADOS ESTÁN CONTENTOS

Catalina no fue inflexible. Pocos días después, Martín recibió una carta de su hermana. Decía la Ignacia que Catalina estaba en su casa, en Zaro, desde hacía algunos días. Al principio no había querido oír hablar de Martín; pero ahora le perdonaba y le esperaba.

Martín y Bautista se presentaron en Zaro inmediatamente, y los novios se reconciliaron.

Se preparó la boda. ¡Qué paz se disfrutaba allí, mientras se mataban en España! La gente trabajaba en el campo. Los domingos, después de la misa, los aldeanos, endomingados, con la chaqueta al hombro, se reunían en la sidrería y en el juego de pelota; las mujeres iban a la iglesia, con un capuchón negro que rodeaba su cabeza. Catalina cantaba en el coro, y Martín la oía, como en la infancia, cuando en la iglesia de Urbía entonaba el *Aleluya*.

Se celebró la boda, con la posible solemnidad, en la iglesia de Zaro, y luego la fiesta en la casa de Bautista.

Hacía todavía frío, y los aldeanos amigos se reunieron en la cocina de la casa, que era grande, hermosa y limpia. En la enorme chimenea redonda se echaron montones de leña, y los invitados cantaron y bebieron hasta bien entrada la noche, al resplandor de las llamas. Los padres de Bautista, dos viejecitos arrugados, que hablaban sólo vascuence, cantaron una can-

ción monótona de su tiempo, y Bautista lució su voz y su repertorio completo y cantó una canción en honor de los novios:

> Ezcon berriyac
> Pozquidac daudé
> Pozquidac daudé
> Eguin diralaco gaur
> Alcarren jabé
> Elizan.

(Los recién casados están muy alegres, porque hoy se han
hecho dueños, uno de otro, en la iglesia).

La fiesta acabó, con la mayor alegría, a la medianoche, en
que se retiraron todos.

Pasada la luna de miel, Martín volvió a las andadas. No paraba; iba y venía de España a Francia, sin poder reposar.

Catalina deseaba ardientemente que acabara la guerra, e intentaba retener a Martín a su lado.

—¿Para qué quieres más? —le decía—. ¿No tienes ya bastante dinero? ¿Para qué exponerte de nuevo?

—Si no me expongo —replicaba Martín.

Pero no era verdad; tenía ambición, amor al peligro y una
confianza ciega en su estrella. La vida sedentaria le irritaba.

Martín y Bautista dejaban solas a las dos mujeres y se iban
a España. Al año de casada, Catalina tuvo un hijo, al que llamaron José Miguel, recordando Martín la recomendación del
viejo Tellagorri.

CAPÍTULO II

EN EL CUAL SE INICIA LA «DESHECHA»

Con la proclamación de la monarquía en España comenzó el deshielo en el campo carlista.

La batalla de Lácar[71], perdida de una manera ridícula por el ejército regular en presencia del nuevo rey, dio alientos a los carlistas; pero, a pesar del triunfo y del botín, la causa del Pretendiente iba de capa caída.

La batalla de Lácar no hizo más que enriquecer el repertorio de las canciones de la guerra con una copla que, más que para soldados, parecía escrita para el coro de señoras de una zarzuela, y que decía así:

> En Lácar, chiquillo,
> te viste en un tris;
> si don Carlos te da con la bota,
> como una pelota
> te envía a París.

Era difícil, al oír esta canción, no pensar en unas cuantas coristas balanceando voluptuosamente las caderas.

Los carlistas hablaban ya de traición. Con el fracaso del sitio de Irún y con la retirada de don Carlos, los curas navarros y

---

[71]   El 3 de febrero de 1875.

vascongados empezaron a dudar del triunfo de la causa. Con la proclamación de Sagunto [72], la desconfianza cundió por todas partes.

—Son primos, y ellos se entienden —decían los desconfiados, que eran legión.

Algunos, que habían oído hablar de un don Alfonso, hermano de don Carlos, creían que a este don Alfonso le habían hecho rey.

Los ambiciosos de los pueblos veían que todas las clases ricas se inclinaban a favor de la monarquía liberal.

Los generales alfonsinos, después de hecho su agosto y ascendiendo en su carrera todo lo posible, encontraban que era una estupidez continuar la guerra durante más tiempo; habían matado la república, que, ciertamente, por estólida, merecía la muerte; el nuevo gobierno les miraba como vencedores, pacificadores y héroes. ¿Qué más podían desear?

En el campo carlista comenzaba la *Deshecha*. Ya se podía andar por las carreteras sin peligro; el carlismo seguía, por la fuerza de la inercia, defendiendo débilmente y atacado más débilmente todavía. La única arma que se blandía de veras era el dinero.

Martín, viendo que no era difícil recorrer los caminos, tomó su cochecito y se dirigió hacia Urbía una mañana de invierno.

Todos los fuertes permanecían silenciosos, mudas las trincheras carlistas; ni una detonación ni una humareda cruzaban el aire. La nieve cubría el campo con su mortaja blanca, bajo el cielo entoldado y plomizo.

Antes de llegar a Urbía, a un lado y a otro, se veían casas de campo derrumbadas, fachadas con las ventanas tapiadas y rellenas de paja, árboles con las ramas rotas, zanjas y parapetos por todas partes.

Martín entró en Urbía. La casa de Catalina estaba destrozada; con los techos atravesados por las granadas, las puertas

---

[72] Se refiere al pronunciamiento de Sagunto, en que el general Martínez Campo aclamó como rey de España a don Alfonso XII, el 29 de diciembre de 1874.

y ventanas cerradas herméticamente. Ofrecía el hermoso caserón un aspecto lamentable; en la huerta, abandonada, las lilas mostraban sus ramas rotas, y una de las más grandes de un magnífico tilo, desgajada, llegaba hasta el suelo. Los rosales trepadores, antes tan lozanos, se veían marchitos.

Subió Martín por su calle a ver la casa en donde nació.

La escuela estaba cerrada; por los cristales empolvados se veían los cartelones con letras grandes y los mapas colgados de las paredes. Cerca del caserío de Zalacaín había una viga de madera, de la que colgaba una campana.

—¿Para qué sirve esto? —preguntó a un mendigo que iba de puerta en puerta.

Era para el vigía. Cuando notaba un fogonazo tocaba la campana para avisar a la gente de la parte baja.

Entró Martín en el caserío Zalacaín. El tejado no existía; sólo quedaba un rincón de la antigua cocina con cubierta. Bajo este techo, entre los escombros, había un hombre sentado, escribiendo, y un chiquillo ocupado en cuidar varios pucheros.

—¿Quién vive aquí? —preguntó Martín.

—Aquí vivo yo —contestó una voz.

Martín quedó atónito. Era el extranjero. Al verse se estrecharon las manos afectuosamente.

—¡Lo que dio usted que hablar en Estella! —dijo el extranjero—. ¡Qué golpe aquel más admirable! ¿Cómo se escaparon ustedes?

Martín contó la historia de su escapatoria, y el periodista fue tomando notas.

—Puedo hacer una crónica admirable —dijo.

Luego hablaron de la guerra.

—¡Pobre país! —dijo el extranjero—. ¡Cuánta brutalidad! ¡Cuánto absurdo! ¿Se acuerda usted del pobre Haussonville, que conocimos en Estella?

—Sí.

—Murió fusilado. ¿Y del corneta de Lasala y de Praschcu, que fueron de los que nos persiguieron cerca de Hernani?

—Sí.

—Esos dos habían salvado al cabecilla Montserrat de la muerte. ¿Sabe usted quién los ha fusilado?

—¿Pero los han fusilado?

—Sí, el mismo Montserrat, en Ormaiztegui [73].

—¡Pobre gente!

—A otro, llamado Anchusa, de la partida del Cura, debía usted también conocer...

—Sí, lo conocía.

—A ése lo mandó fusilar Lizárraga. Y al *Jabonero,* el lugarteniente del Cura...

—¿También lo fusilaron?

—También. Al *Jabonero* le debía el Cura la única victoria que consiguió en Usurbil, cuando defendieron una ermita contra los liberales; pero tenía celos de él y, además, creía que le hacía traición, y lo mandó fusilar.

—Si esto sigue así, no vamos a quedar nadie.

—Afortunadamente, ya ha comenzado la *Deshecha,* como dicen los aldeanos —contestó el extranjero—. ¿Y usted a qué ha venido aquí?

Martín dijo que él era de Urbía, así como su mujer, y contó sus aventuras desde el tiempo en que había dejado de ver al extranjero. Comieron juntos y por la tarde se despidieron.

—Todavía creo que nos volveremos a ver —dijo el extranjero.

—Quién sabe, es muy posible.

---

[73] Comp. *O. C.,* V, pág. 543 (texto de 1918): «El final de los cabecillas de Santa Cruz es de lo más diverso y de lo más extraño [...] Egozcue es fusilado por Santa Cruz; Praschcu y *el Corneta de Lasala* caen presos, y el cabecilla Montserrat les lleva a los dos, con otro santacrucista, a Ormaiztegui [...] Montserrat fusila a Praschcu y al *Corneta,* sin confesión».

CAPÍTULO III

EN DONDE MARTÍN COMIENZA A TRABAJAR
POR LA GLORIA

En la época de las nieves, un general audaz que venía de muy lejos intentó envolver a los carlistas por el lado del Pirineo, y, saliendo de Pamplona, avanzó por la carretera de Elizondo; pero, al ver el alto de Velate, defendido y atrincherado por los carlistas, se retiró hacia Euguí y luego tomó por el puerto de Olaberri, próximo a la frontera, por entre bosques y sendas malísimas; y perdidos sus soldados en los bosques, llegaron, después de dos días y tres noches, a Baztán.

La imprudencia era grande, pero aquel general tuvo suerte [74], porque si la terrible nevada que cayó al día siguiente de estar en Elizondo, cae antes, hubieran quedado la mitad de las tropas entre la nieve.

El general pidió víveres a Francia, y, gracias a la ayuda del país vecino, pudo dar de comer a su gente y preparar alojamiento. Martín y Bautista se hallaban en relación con una casa de Bayona, y fueron a Añoa con sus carros.

Añoa está a un kilómetro, próximamente, de la frontera, en donde se halla establecida la aduana española de Dancharinea.

---

[74]   Fue el general Martínez Campos el encargado de cortar la retirada de los carlistas hacia Francia. En febrero de 1876 ocupó algunas poblaciones estratégicas, entre ellas Irún y Elizondo.

Aquel día, una porción de gente de la frontera francesa se asomó a Añoa. La carretera estaba atestada de carromatos, carretas y ómnibus que conducían al valle de Baztán para las tropas fardos de zapatos, sacos de pan, cajones de galleta de Burdeos, esparto para las camas, barriles de vino y de aguardiente.

El camino estaba intransitable y lleno de barro. Además de todo aquel convoy de mercancías consignado al ejército, hallábanse otros coches atiborrados de géneros que algunos comerciantes de Bayona llevaban a ver si vendían al por menor.

Había también cerca del puente, sobre el riachuelo Ugarona, una porción de cantineros con sus cestas, frascos y cachivaches.

Martín, con su mujer, y Bautista, con la suya, se acercaron a Añoa y se alojaron en la venta. Catalina quería ver si obtenía noticias de su hermano.

En la venta preguntaron a un muchacho, desertor carlista; pero no supo darles ninguna razón de Carlos Ohando.

—Si no está en Peñaplata, irá camino de Burguete —les dijo.

Se encontraban a la puerta de la venta Martín y Bautista, cuando pasó, envuelto en su capote, Briones, el hermano de Rosita. Le saludó a Martín muy afectuoso y entró en la venta. Vestía uniforme de comandante y llevaba cordones dorados como los ayudantes de generales.

—He hablado mucho de usted a mi general —le dijo a Martín.

—¿Sí?

—Ya lo creo. Tendría mucho gusto en conocer a usted. Le he contado sus aventuras. ¿Quiere usted venir a saludarle? Tengo ahí un caballo de mi asistente.

—¿Dónde está el general?

—En Elizondo. ¿Viene usted?

—Vamos.

Advirtió Martín a su mujer que se marchaba a Elizondo; montaron Briones y Zalacaín a caballo, y, charlando de muchas cosas, llegaron a esta villa, centro del valle del Baztán. El general se alojaba en un palacio de la plaza; a la puerta, dos oficiales hablaban.

Le hizo pasar Briones a Martín al cuarto en donde se encontraba el general. Éste, sentado a una mesa, donde tenía planos y papeles, fumaba un cigarro puro y discutía con varias personas.

Presentó Briones a Martín, y el general, después de estrecharle la mano, le dijo bruscamente:

—Me ha contado Briones sus aventuras. Le felicito a usted.

—Muchas gracias, mi general.

—¿Conoce usted toda esta zona de mugas de la frontera que domina el valle de Baztán?

—Sí, como mi propia mano. Creo que no habrá otro que la conozca tan bien.

—¿Sabe usted los caminos y las sendas?

—No hay más que sendas.

—¿Hay sendero para subir a Peñaplata, por el lado de Zugarramurdi?

—Lo hay.

—¿Pueden subir caballos?

—Sí, fácilmente.

El general discutió con Briones y con el otro ayudante. Él había tenido el proyecto de cerrar la frontera e impedir la retirada a Francia del grueso del ejército carlista, pero era imposible.

—Usted, ¿qué ideas políticas tiene? —preguntó, de pronto, el general a Martín.

—Yo he trabajado para los carlistas, pero, en el fondo, creo que soy liberal.

—¿Querría usted servir de guía a la columna que subirá mañana a Peñaplata?

—No tengo inconveniente.

El general se levantó de la silla en donde estaba sentado y se acercó con Zalacaín a uno de los balcones.

—Creo —le dijo— que actualmente soy el hombre de más influencia de España. ¿Qué quiere usted ser? ¿No tiene usted ambiciones?

—Actualmente soy casi rico; mi mujer lo es también...

—¿De dónde es usted?

—De Urbía.

—¿Quiere usted que le nombremos alcalde de allá?

Martín reflexionó.

—Sí, eso me gusta —dijo.

—Pues cuente usted con ello. Mañana por la mañana hay que estar aquí.

—¿Van a ir tropas por Zugarramurdi?

—Sí.

—Yo les esperaré en la carretera, junto al alto de Maya.

Martín se despidió del general y de Briones, y volvió a Añoa para tranquilizar a su mujer. Contó a Bautista su conversación con el general; Bautista se lo dijo a su mujer, y ésta, a Catalina.

A medianoche se preparaba Martín a montar a caballo, cuando se presentó Catalina con su hijo en brazos.

—¡Martín! ¡Martín! —le dijo sollozando—. Me han asegurado que quieres ir con el ejército a subir a Peñaplata.

—¿Yo?

—Sí.

—Es verdad. ¿Y eso te asusta?

—No vayas. Te van a matar, Martín. ¡No vayas! ¡Por nuestro hijo! ¡Por mí!

—¡Bah, tonterías! ¿Qué miedo puedes tener? Si he estado otras veces solo, ¿qué me va a pasar, yendo en compañía de tanta gente?

—Sí, pero ahora no vayas, Martín. La guerra se va a acabar en seguida. Que no te pase algo al final.

—Me he comprometido. Tengo que ir.

—¡Oh, Martín! —sollozó Catalina—. Tú eres todo para mí; yo no tengo padre, ni madre, ni tengo hermano, porque el cariño que pudiese tenerle a él lo he puesto en ti y en tu hijo. No vayas a dejarme viuda, Martín.

—No tengas cuidado. Estate tranquila. Mi vida está asegurada, pero tengo que ir. He dado mi palabra...

—Por tu hijo...

—Sí, por mi hijo también... No quiero que, andando el tiempo, puedan decir de él: «Éste es el hijo de Zalacaín, que dio su palabra y no la cumplió por miedo»; no, si dicen algo, que digan: «Éste es Miguel Zalacaín, el hijo de Martín Zalacaín, tan valiente como su padre... No. Más valiente aún que su padre».

Y Martín, con sus palabras, llegó a infundir ánimo en su mujer, acarició al niño, que le miraba sonriendo desde el regazo de su madre, abrazó a ésta y, montando a caballo, desapareció por el camino de Elizondo [75].

---

[75] Toda esta escena se inspira, como ha mostrado Francisco R. Adrados, en la despedida de Héctor y Andrómaca tal como se narra en el canto VI de la *Ilíada,* de donde se toman los motivos esenciales: la presencia de la madre llorosa con el niño en brazos, sus presentimientos de viudez, la respuesta del héroe, etc.

CAPÍTULO IV

LA BATALLA CERCA DEL MONTE AQUELARRE

Martín llegó al alto de Maya al amanecer, subió un poco por la carretera y vio que venía la tropa. Se reunió con Briones, y ambos se pusieron a la cabeza de la columna.

Al llegar a Zugarramurdi, comenzaba a clarear. Sobre el pueblo, las cimas del monte, blancas y pulidas por la lluvia, brillaban con los primeros rayos del sol.

De esta blancura de las rocas procedía el nombre del monte Arrizuri (piedra blanca), en vasco, y Peñaplata, en castellano.

Martín tomó el sendero que bordea un torrente. Una capa de arcilla humedecida cubría el camino, por el cual los caballos y los hombres se resbalaban. El sendero tan pronto se acercaba a la torrentera, llena de malezas y de troncos podridos de árboles, como se separaba de ella. Los soldados caían en este terreno resbaladizo. A cierta altura, el torrente era ya un precipicio, por cuyo fondo, lleno de matorrales, se precipitaba el agua brillante.

Mientras marchaban Martín y Briones a caballo, fueron hablando amistosamente. Martín felicitó a Briones por sus ascensos.

—Sí, no estoy descontento —dijo el comandante—; pero usted, amigo Zalacaín, es el que avanza con rapidez; si sigue así, si en estos años adelanta usted lo que ha adelantado en los cinco pasados, va usted a llegar donde quiera.

—¿Creerá usted que yo ya no tengo casi ambición?

—¿No?

—No. Sin duda eran los obstáculos los que me daban antes bríos y fuerza, el ver que todo el mundo se plantaba a mi paso para estorbarme. Que uno quería vivir, el obstáculo; que uno quería a una mujer y la mujer le quería a uno, el obstáculo también. Ahora no tengo obstáculo, y ya no sé qué hacer. Voy a tener que inventarme otras ocupaciones y otros quebraderos de cabeza.

—Es usted la inquietud personificada, Martín —dijo Briones.

—¿Qué quiere usted? He crecido salvaje como las hierbas y necesito la acción, la acción continua. Yo muchas veces pienso que llegará un día en que los hombres podrán aprovechar las pasiones de los demás en algo bueno.

—¿También es usted soñador?

—También.

—La verdad es que es usted un hombre pintoresco, amigo Zalacaín.

—Pero la mayoría de los hombres son como yo.

—¡Oh, no! La mayoría somos gente tranquila, pacífica, un poco muerta.

—Pues yo estoy vivo, eso sí; pero la misma vida que no puedo emplear se me queda dentro y se me pudre. Sabe usted, yo quisiera que todo viviese, que todo comenzara a marchar, no dejar nada parado, empujar todo al movimiento, hombres, mujeres, negocios, máquinas, minas, nada quieto, nada inmóvil...

—Extrañas ideas —murmuró Briones.

Concluía el camino y comenzaban las sendas a dividirse y a subdividirse, escalando la altura.

Al llegar a este punto, Martín avisó a Briones que era conveniente que sus tropas estuviesen preparadas, pues al final de estas sendas se encontrarían en terreno descubierto y desprovisto de árboles.

Briones mandó a los tiradores de la vanguardia que preparasen sus armas y fueran avanzando despacio, en guerrilla.

—Mientras unos van por aquí —dijo Martín a Briones— otros pueden subir por el lado opuesto. Hay allá arriba una explanada grande. Si los carlistas se parapetan entre las rocas van a hacer una mortandad terrible.

Briones dio cuenta al general de lo dicho por Martín, y aquél ordenó que medio batallón fuera por el lado indicado por el guía. Mientras no oyeran los tiros del grueso de la fuerza no debían atacar.

Zalacaín y Briones bajaron de sus caballos y tomaron por una senda y durante un par de horas fueron rodeando el monte, marchando entre helechos.

—Por esta parte, en una calvera del monte, en donde hay como una plazuela formada por hayas —dijo Martín—, deben tener centinelas los carlistas; si no, por ahí podemos subir hasta los altos de Peñaplata, sin dificultad.

Al acercarse al sitio indicado por Martín, oyeron una voz que cantaba. Sorprendidos, fueron despacio acortando la distancia.

—No serán las brujas —dijo Martín.

—¿Por qué las brujas? —preguntó Briones.

—¿No sabe usted que éstos son los montes de las brujas? Aquel es el Aquelarre —contestó Martín.

—¿El Aquelarre? ¿Pero existe?

—Sí.

—¿Y quiere decir algo en vascuence ese nombre?

—¿Aquelarre?... Sí, quiere decir Prado del Macho Cabrío.

—¿El macho cabrío será el demonio?

—Probablemente.

La canción no la cantaban las brujas, sino un muchacho que, en compañía de diez o doce, estaba calentándose alrededor de una hoguera.

Uno cantaba canciones liberales y carlistas, y los otros le coreaban.

No habían comenzado a oírse los primeros tiros, y Briones y su gente esperaron tendidos entre los matorrales.

Martín sentía como un remordimiento, al pensar que aquellos alegres muchachos iban a ser fusilados dentro de unos momentos.

La señal no se hizo esperar, y no fue un tiro, sino una serie de descargas cerradas.

—¡Fuego! —gritó Briones.

Tres o cuatro de los cantores cayeron a tierra, y los demás, saltando entre breñales, comenzaron a huir y a disparar.

La acción se generalizaba; debía de ser furiosa, a juzgar por el ruido de fusilería. Briones, con su tropa, y Martín subían por el monte a duras penas. Al llegar a los altos, los carlistas, cogidos entre dos fuegos, se retiraron.

La gran explanada del monte estaba sembrada de heridos y de muertos. Iban recogiéndolos en camillas. Todavía seguía la acción; pero, poco después, una columna de ejército avanzaba por el monte por otro lado, y los carlistas huían a la desbandada hacia Francia.

CAPÍTULO V

DONDE LA HISTORIA MODERNA REPITE
EL HECHO DE LA HISTORIA ANTIGUA

Fueron Martín y Catalina en su carricoche a Saint-Jean Pied de Port. Todo el grueso del ejército carlista entraba, en su retirada de España, por el barranco de Roncesvalles y por Valcarlos. Una porción de comerciantes se había descolgado por allí, como cuervos al olor de la carne muerta, y compraban hermosos caballos por diez o doce duros, espadas, fusiles y ropas a precios ínfimos.

Era un poco repulsivo ver esta explotación, y Martín, sitiéndose patriota, habló de la avaricia y de la sordidez de los franceses. Un ropavejero de Bayona le dijo que el negocio es el negocio, y que cada cual se aprovechaba cuando podía.

Martín no quiso discutir. Preguntaron Catalina y él a varios carlistas de Urbía por Ohando, y uno le indicó que Carlos, en compañía del *Cacho,* había salido de Burguete muy tarde, porque estaba muy enfermo.

Sin atender a que fuera o no prudente, Martín tomó el carricoche por el camino de Arneguy; atravesaron este pueblecillo, que tiene dos barrios, uno español y otro francés, en las orillas de un riachuelo, y siguieron hasta Valcarlos.

Catalina, al ver aquel espectáculo, quedó horrorizada. La estrecha carretera era un campo de desolación. Casas humeando aún por el incendio, árboles rotos, zanjas, el suelo sembrado de municiones de guerra, cajas, correas de artillería, bayonetas torcidas, instrumentos musicales de cobre aplastados por los carros.

En la cuneta de la carretera se veía a un muerto medio desnudo, sin botas, con el cuerpo cubierto por hojas de helechos; el barro le manchaba la cara.

En el aire gris, una nube de cuervos avanzaba en el aire, siguiendo aquel ejército funesto, para devorar sus despojos.

Martín, atendiendo a la impresión de Catalina, volvió prudentemente, hasta llegar de nuevo al barrio francés de Arneguy. Entraron en la posada. Allí estaba el extranjero.

—¿No le decía a usted que nos veríamos todavía? —dijo éste.

—Sí. Es verdad.

Martín presentó a su mujer al periodista, y los tres reunidos esperaron a que llegaran los últimos soldados.

Al anochecer, en un grupo de seis o siete, apareció Carlos Ohando y el Cacho.

Catalina se acercó a su hermano con los brazos abiertos.

—¡Carlos! ¡Carlos! —gritó.

Ohando quedó atónito al verla; luego, con un gesto de ira y de desprecio, añadió:

—Quítate de delante. ¡Perdida! ¡Nos has deshonrado!

Y, en su brutalidad, escupió a Catalina en la cara. Martín, cegado, saltó como un tigre sobre Carlos y le agarró por el cuello.

—¡Canalla! ¡Cobarde! —rugió—. Ahora mismo vas a pedir perdón a tu hermana.

—¡Suelta! ¡Suelta! —exclamó Carlos, ahogándose.

—¡De rodillas!

—¡Por Dios, Martín, déjale! —gritó Catalina—. ¡Déjale!

—No, porque es un miserable, un canalla cobarde, y te va a pedir perdón de rodillas.

—No —exclamó Ohando.

—Sí —y Martín le llevó por el cuello, arrastrándole por el barro, hasta donde estaba Catalina.

—No sea usted bárbaro —exclamó el extranjero—. Déjelo usted.

—¡A mí, *Cacho!* ¡A mí! —gritó Carlos ahogadamente.

Entonces, antes de que nadie lo pudiera evitar, el *Cacho,* desde la esquina de la posada, levantó su fusil, apuntó; se oyó una detonación, y Martín, herido en la espalda, vaciló, soltó a Ohando y cayó en la tierra.

Carlos se levantó y quedó mirando a su adversario. Catalina se lanzó sobre el cuerpo de su marido y trató de incorporarle. Era inútil.

Martín tomó la mano de su mujer y, con un esfuerzo último, se la llevó a los labios.

—¡Adiós! —murmuró débilmente. Se le nublaron los ojos y quedó muerto.

A lo lejos, un clarín guerrero hacía temblar el aire de Roncesvalles.

Así se habían estremecido aquellos montes con el cuerno de Rolando.

Así, hacía cerca de quinientos años, había matado, también a traición, Velche de Micolalde, deudo de los Ohando, a Martín López de Zalacaín.

Catalina se desmayó al lado del cadáver de su marido. El extranjero con la gente de la fonda la atendieron. Mientras tanto, unos gendarmes franceses persiguieron al *Cacho,* y, viendo que éste no se detenía, le dispararon varios tiros, hasta que cayó herido.

....

El cadáver de Martín se llevó al interior de la posada, y estuvo toda la noche rodeado de cirios. Los amigos no cabían en la casa. Acudieron a rezar el oficio de difuntos el abad de Roncesvalles y los curas de Arneguy, de Valcarlos y de Zaro.

Por la mañana se verificó el entierro. El día estaba claro y alegre. Se sacó la caja y se la colocó en el coche que habían mandado de San Juan de Pie de Puerto. Todos los labradores de los caseríos propiedad de los Ohandos estaban allí; habían venido de Urbía a pie para asistir al entierro. Y presidieron el duelo Briones, vestido de uniforme, Bautista Urbide y Capistun, el americano.

Y las mujeres lloraban.

—Tan grande como era —decían—. ¡Pobre! ¡Quién había de decir que tendríamos que asistir a su entierro, nosotros que le hemos conocido de niño!

El cortejo tomó el camino de Zaro, y allí tuvo fin la triste ceremonia.

....

Meses después, Carlos Ohando entró en San Ignacio de Loyola; el *Cacho* estuvo en el hospital, en donde le cortaron una pierna, y luego fue enviado a un presidio francés; y Catalina, con su hijo, marchó a Zaro, a vivir al lado de la Ignacia y de Bautista.

CAPÍTULO VI

LAS TRES ROSAS DEL CEMENTERIO DE ZARO

Zaro es un pueblo pequeño, muy pequeño, asentado sobre una colina. Para llegar a él se pasa por un camino, en algunas partes muy hondo, al cual los arbustos frondosos forman en verano un túnel.

A la entrada de Zaro, como en otros pueblos vascofranceses, hay una gran cruz de madera, muy alta, pintada de rojo, con diversos atributos de la pasión: un gallo, las tenazas, la lanza y los clavos. Estas cruces bárbaras, con estrellas y corazones grabados en negro, dan un carácter sombrío y trágico a las aldeas vascas.

En el vértice del cerro donde se asienta Zaro, en medio de una plazoleta, estrecha y larga, se yergue un inmenso nogal copudo, con el grueso tronco rodeado por un banco de piedra.

Una de las casas que forman la plaza es grande, con pórtico espacioso, alero avanzado y varias ventanas cubiertas por persianas verdes. Sobre el escudo que se ostenta en el arco de la puerta, se ve escrita la fecha en que se edificó la casa, y unas palabras en latín indicando quién la hizo:

Bacalareus, presbiterus Urbide,
Hoc domicilium fecit in lapide.

En un extremo de la plazoleta se levanta la iglesia, pequeña, humilde, con su atrio, su campanario y su tejadillo de pizarra.

Rodeándola, sobre una tapia baja, se extiende el cementerio.

En Zaro hay siempre un silencio absoluto, casi únicamente interrumpido por la voz cascada del reloj de la iglesia, que da las horas de una manera melancólica, con un tañido de lloro.

En el reloj de sol de la torre de otro pueblo vasco, en Urruña, se lee escrita esta triste sentencia: *Vulnerant omnes; ultima, necat:* Todas hieren; la última, mata[76]. Mejor todavía la triste sentencia podría estar escrita en el reloj de la torre de Zaro.

En el cementerio, alrededor de la iglesia, entre las cruces de piedra, brillan durante la primavera rosales de varios colores, rojos, amarillos, y azucenas blancas de aspecto triste.

Desde este cementerio se ve un valle extensísimo, un paisaje amable y pastoril. El grave silencio que reina en el camposanto apenas lo turban los débiles rumores de la vida del pueblo.

De cuando en cuando, se oye el chirriar de una puerta, el tintineo del cencerro de las vacas, la voz de un chiquillo, el zumbido de los moscones..., y, de cuando en cuando, se oye también el golpe del martillo del reloj, voz de muerte apagada, sombría, que tiene en el valle un triste eco.

Tras de estas campanadas fatídicas, el silencio que viene después parece un tierno halago.

Como protesta de la eterna vida, en el mismo camposanto las malas hierbas crecen vigorosas, extienden sus vástagos robustos por el suelo y dan un olor acre en el crepúsculo, tras de las horas de sol; pían los pájaros con algarabía estrepitosa, y los gallos lanzan al aire su cacareo valiente, como un desafío.

La vista alcanza desde allá un extenso panorama de líneas suaves, de intenso verdor, sin rocas adustas, sin matorrales

---

[76]   La inscripción de la torre de Urruña debió de impresionar a Baroja, a juzgar por las veces que la recuerda, al menos desde 1901 (*Silvestre Paradox,* cap. IV) hasta 1943 (*El caballero de Erláiz,* III, VI).

sombríos, sin nada duro y salvaje. Los pueblecillos blancos duermen sobre las heredades; las carretas rechinan en los caminos; los labradores trabajan con sus bueyes en los campos, y la tierra, fértil y húmeda, reposa bajo la gran sonrisa del cielo y la inmensa piedad del sol... [77].

En el cementerio de Zaro hay una tumba de piedra, y en la misma cruz, escrito con letras negras, dice en vasco:

AQUÍ YACE
MARTÍN ZALACAÍN.
MUERTO A LOS 24 AÑOS
†
EL 29 DE FEBRERO DE 1876

* * *

Una tarde de verano, muchos, muchos años después de la guerra, se vio entrar en el mismo día en el cementerio de Zaro a tres viejecitas, vestidas de luto.

Una de ellas era Linda; se acercó al sepulcro de Zalacaín y dejó sobre él una rosa negra; la otra era la señorita de Briones, y puso una rosa roja. Catalina, que iba todos los días al cementerio, vio las dos rosas en la lápida de su marido y las respetó, y depositó junto a ellas una rosa blanca.

Y las tres rosas duraron mucho tiempo lozanas sobre la tumba de Zalacaín.

---

[77]   Todo el fragmento que va desde el comienzo del capítulo hasta aquí se repite, con ligerísimas variantes, en la descripción de Sara, el pueblo vasconfrancés, incluida en el volumen *El País Vasco,* págs. 373 y sigs. Esto da idea de la fidelidad descriptiva de Baroja en el capítulo de la novela. En *El País Vasco* se añaden los siguientes párrafos: «En este cementerio de Sara, si fuera verdad lo que se encuentra escrito en las novelas, hallarían mis lectores, si se tomaran algún día el trabajo de ir hasta allá, la tumba de Martín Zalacaín. Lo que no hallarían es las tres rosas que dejaron sobre aquélla, en una tarde de verano, tres viejecitas vestidas de luto: una rosa negra, otra rosa roja y otra blanca. Porque, aunque las tres rosas duraron mucho tiempo lozanas sobre la tumba de mi héroe aventurero, no se puede pedir que duren tanto».

CAPÍTULO VII

EPITAFIOS

He aquí el epitafio que improvisó el versolari Echehun de Zugarramurdi en la tumba de Zalacaín el Aventurero:

Lur santu onetan dago
Martín Zalacaín ló
Eriotzac hill zuen
Bazan salvatucó
Eliz, aldeco itzalac
Gorde du beticó
Bere icena dedin
Honratu gaur gueró
Aurrena Euscal Errien
Gloria izatecó.

(En esta santa tierra está durmiendo Martín Zalacaín. La muerte lo hirió, pero él logró salvarse. En el próximo presbiterio se guarda para siempre su nombre, para honra primeramente del País Vasco, y después para su gloria).

Y el joven poeta navarro Juan de Navascués glosó el epitafio del versolari Echehun de Zugarramurdi, en esta décima castellana:

Duerme en esta sepultura
Martín Zalacaín, el fuerte.

Venganza tomó la muerte
de su audacia y su bravura.
De su guerrera apostura
el vasco guarda memoria;
y aunque el libro de la historia
su rudo nombre rechaza,
¡caminante de su raza,
descúbrete ante su gloria!

GUÍA DE LECTURA

por Óscar Barrero Pérez

Pío Baroja paseando. Foto archivo Espasa

CUADRO CRONOLÓGICO

AÑO	VIDA Y OBRA DE PÍO BAROJA*	ACONTECIMIENTOS HISTÓRICOS	ACONTECIMIENTOS CULTURALES
1872	Nace en San Sebastián el 28 de diciembre.	Tercera y última guerra carlista.	Verne, *20.000 leguas de viaje submarino*. José Hernández, *El gaucho Martín Fierro*. Bruckner, *Misa en fa menor*.
1879	Se traslada a Madrid con su familia.	Edison fabrica la primera lámpara incandescente.	Ibsen, *Casa de muñecas*. Chaicovski, *Eugenio Oneguin*. Valera, *Doña Luz*.
1881	Marcha a Pamplona con su familia.	Se inicia en el gobierno de España el turno pacífico de los partidos Conservador y Liberal.	Offenbach, *Los cuentos de Hoffmann*. Galdós, *La desheredada*. Echegaray, *El gran galeoto*.
1886	Vuelve a Madrid para cursar el último año del Bachillerato.	Nace, póstumo, el futuro rey Alfonso XIII.	Moréas, *Manifiesto de los simbolistas*. Bartholdi, estatua de la Libertad. Tolstoi, *Sonata a Kreutzer*. Saint-Saëns, *El carnaval de los animales*. Campoamor, *Humoradas*.
1887	Comienza sus estudios de Medicina.	Hertz descubre las ondas electromagnéticas; Dunlop, el neumático, y Berliner, el gramófono.	Gauguin, *Paisaje de Martinica*. Strindberg, *El padre*. Verdi, *Otelo*. Pardo Bazán, *La madre naturaleza*.
1890	Publica sus primeros artículos, sobre la literatura rusa, en *La Unión Liberal* de San Sebastián.	Entra en funcionamiento, en Londres, el primer ferrocarril eléctrico subterráneo del mundo.	Renoir inicia su serie de *Bañistas*. Borodin, *El príncipe Ígor*. Clarín, *Su único hijo*.

---

*   No siempre hay coincidencia entre las distintas bibliografías de Baroja sobre la primera fecha de edición de varios de los libros aquí enumerados. Elaboro la relación que sigue comparando datos de fuentes diversas, obviamente partiendo del libro de P. Caro Baroja (ed.) citado en la Bibliografía complementaria (pág. 269).

AÑO	VIDA Y OBRA DE PÍO BAROJA	ACONTECIMIENTOS HISTÓRICOS	ACONTECIMIENTOS CULTURALES
1891	Se traslada a Valencia con su familia.	El papa León XIII promulga la encíclica *Rerum novarum*. Se encuentran en Java los primeros restos del *Pithecanthropus erectus*.	Toulouse-Lautrec elabora su primer cartel: *La Goulue*. Nietzsche, *Así habló Zaratustra*. Wilde, *El retrato de Dorian Gray*. Coloma, *Pequeñeces*.
1893	Consigue en Madrid el título de médico.	Firma de la alianza franco-rusa. Comienza la construcción del ferrocarril transiberiano.	Munch, *El grito*. Dvořák, *Novena sinfonía*, «*Del Nuevo Mundo*». Palacio Valdés, *El maestrante*.
1894	Obtiene una plaza de médico en Cestona (Guipúzcoa).	Estalla en Francia el escándalo Dreyfus, histórico caso de espionaje.	Rousseau, *La guerra*. Kipling, *El libro de la selva*. Debussy, *Preludio a la siesta de un fauno*. Pereda, *Peñas arriba*.
1895	Renuncia a su plaza de médico y pasa a residir con su familia en San Sebastián.	Roentgen descubre los rayos X. Insurrección independentista en Cuba, inicio del llamado *desastre del 98*.	Richard Strauss, *Las travesuras de Till Eulenspiegel*. Se filma la primera película: *Salida de las fábricas Lumière*. Sorolla, *Y aún dicen que el pescado es caro*. Dicenta, *Juan José*.
1896	Se encarga en Madrid de la panadería familiar. Publica su tesis doctoral, *Estudio acerca del dolor*.	Primeros Juegos Olímpicos de la era moderna. Insurrección independentista en Filipinas.	Sienkiewicz, *Quo vadis?* Jarry, *Ubú rey*. Rubén Darío, *Prosas profanas*. Puccini, *La Bohème*.
1899	Escribe desde París artículos que se publican en *La Voz de Guipúzcoa*.	Guerra de los bóers en Sudáfrica.	Elgar, *Variaciones «Enigma»*. Schönberg, *La noche transfigurada*. Costa, *El problema nacional*.
1900	*Vidas sombrías. La casa de Aizgorri*.	Guerra de los *bóxers* en China. Planck formula su teoría cuántica. Zeppelin hace volar su aerostato.	Triunfo del *art nouveau*. Freud, *La interpretación de los sueños*. Conrad, *Lord Jim*. Blasco Ibáñez, *Entre naranjos*.

AÑO	VIDA Y OBRA DE PÍO BAROJA	ACONTECIMIENTOS HISTÓRICOS	ACONTECIMIENTOS CULTURALES
1901	*Aventuras, inventos y mixtificaciones de Silvestre Paradox.*	Marconi consigue la telegrafía sin hilos sobre el Atlántico. Con la muerte de la reina Victoria termina la *era victoriana* del imperio británico.	Se conceden los primeros premios Nobel. Nolde, *Niños bailando salvajemente.* Zola, *Trabajo.* Chejov, *Las tres hermanas.* Ravel, *Juegos de agua.*
1902	*Camino de perfección. Idilios vascos.*	Alfonso XIII es proclamado rey al alcanzar su mayoría de edad.	Gide, *El inmoralista.* Mahler, *Quinta sinfonía.* Méliès, *El viaje a la Luna.* Azorín, *La voluntad.*
1903	*El mayorazgo de Labraz.*	Pío X, nuevo papa. Los hermanos Wright realizan el primer vuelo controlado, con una duración de doce segundos.	James, *Los embajadores.* Howard construye la primera ciudad-jardín. A. Machado, *Soledades.*
1904	*La busca. Mala hierba. Aurora roja. El tablado de Arlequín.*	Guerra ruso-japonesa. Firma de la *Entente cordiale* entre Francia e Inglaterra.	Rolland, primer tomo de *Jean Christophe.* Janácek, *Jenufa.* Echegaray, premio Nobel de Literatura.
1905	*La feria de los discretos.*	Einstein enuncia su teoría de la relatividad restringida.	Se constituye el grupo pictórico expresionista *El puente.* Lehár, *La viuda alegre.* Unamuno, *Vida de don Quijote y Sancho.*
1906	*Paradox, rey. Los últimos románticos.*	Primera emisión radiofónica. Conferencia internacional en Algeciras sobre Marruecos.	Exposición del *Salón de los independientes,* donde surge el nombre de *fauvismo.* Ramón y Cajal premio Nobel de Fisiología y Medicina. Eugenio d'Ors inicia su *Glosario.*
1907	*Las tragedias grotescas.*	Francia, Gran Bretaña y Rusia firman la Triple Entente.	Creación de la Junta para Ampliación de Estudios. Picasso, *Las señoritas de Aviñón.* Benavente, *Los intereses creados.*

AÑO	VIDA Y OBRA DE PÍO BAROJA	ACONTECIMIENTOS HISTÓRICOS	ACONTECIMIENTOS CULTURALES
1908	*La dama errante.*	Se instala en Estados Unidos la primera cadena de montaje para la fabricación del modelo automovilístico *T.*	Se utiliza por primera vez el término *cubista* para referirse al nuevo estilo pictórico. Chesterton, *El hombre que fue jueves.* Menéndez Pidal inicia su edición del *Cantar de Mio Cid.*
1909	Ingresa en el Partido Republicano Radical. *Zalacaín el aventurero. La ciudad de la niebla.*	Blériot cruza en avión el canal de la Mancha. Semana Trágica de Barcelona.	Marinetti avanza el manifiesto futurista. London, *Martin Eden.* Lugones, *Lunario sentimental.* Rachmaninov, *Concierto n.° 3 para piano y orquesta.*
1910	*César o nada.*	Construcción del primer motor diésel.	Se acuña el término *expresionismo.* Léger, *Figuras desnudas en un bosque.* Se inaugura en Madrid la Residencia de Estudiantes. G. Miró, *Las cerezas del cementerio.*
1911	*El árbol de la ciencia. Las inquietudes de Shanti Andía. Adiós a la bohemia.*	Fin del Imperio chino e instauración de la república. Rutherford propone su modelo nuclear del átomo.	Se forma el grupo pictórico expresionista *El Jinete Azul.* G. B. Shaw, *Pigmalión.* Bartók, *Allegro barbaro.* Scriabin, *Prometeo.* Nielsen, *Tercera sinfonía, «Expansiva».*
1912	Compra en Vera de Bidasoa el caserón de Itzea, donde pasaría largas temporadas. Muere su padre. *El mundo es ansí.*	Naufraga el *Titanic.* Es asesinado el jefe del gobierno español, José Canalejas.	D. H. Lawrence, *Hijos y amantes.* Gropius, *Fábrica Fagus.* Gris, *Retrato de Picasso.*
1913	*El aprendiz de conspirador. El escuadrón del Brigante.*	Segunda guerra balcánica, pocos meses después de terminada la primera.	Chagall, *París a través de la ventana.* Proust, *Por el camino de Swann,* primer tomo de *En busca del tiempo perdido.* Se estrena *La consagración de la primavera,* de Stravinski.

AÑO	VIDA Y OBRA DE PÍO BAROJA	ACONTECIMIENTOS HISTÓRICOS	ACONTECIMIENTOS CULTURALES
1914	*Los caminos del mundo.*	Primera Guerra Mundial. Benedicto XV, nuevo papa. Se inaugura el Canal de Panamá. Low presenta un aparato al que llama *televisión*.	Kokoschka, *La novia y el viento.* Webern, *Piezas para orquesta.* Tant, *Pabellón de Cristal de la Exposición de Colonia.* Concha Espina, *La esfinge maragata.*
1915	*Con la pluma y con el sable. Los recursos de la astucia.*	Einstein formula la teoría de la relatividad generalizada.	Se forma la *escuela metafísica,* encabezada por G. de Chirico. Sibelius, *Quinta sinfonía.* Falla, *El amor brujo.*
1916	*La ruta del aventurero. La dama de Urtubi.*	Sublevación en Irlanda contra el dominio británico.	Kafka, *La metamorfosis.* Griffith, *Intolerancia.* Arniches, *La señorita de Trevélez.*
1917	*Juventud, egolatría. Nuevo tablado de Arlequín. El capitán Mala Sombra.*	Triunfa en Rusia la Revolución, tras el derrocamiento del Imperio zarista. Apariciones de la Virgen en Fátima.	Duchamp, *Fuente.* Maiakovski, *Oda a la revolución.* Respighi, *Las fuentes de Roma.* J. R. Jiménez, *Platero y yo.* Gómez de la Serna, edición en libro de *Greguerías.*
1918	*Las horas solitarias. La veleta de Gastizar. Los caudillos de 1830. El cura Santa Cruz y su partida. Idilios y fantasías.*	Termina la Primera Guerra Mundial.	Tzara, *Manifiesto Dadá.* Apollinaire, *Caligramas.* Se forma en Francia el grupo musical de *Los seis.* Holst, *Los planetas.* Nace el ultraísmo.
1919	*La caverna del humorismo. La Isabelina. Momentum catastrophicum. Cuentos.*	Se crea la Sociedad de Naciones.	Se crea en Weimar la Bauhaus, escuela de arquitectura moderna. López Velarde, *Zozobra.*
1920	*La sensualidad pervertida. Los contrastes de la vida. Divagaciones sobre la cultura.*	Entra en vigor el Tratado de Versalles.	Tatlin, *Monumento a la Tercera Internacional,* ejemplo cimero de escultura constructivista. Valéry, *El cementerio marino.* Wiene, *El gabinete del doctor Caligari.* Muñoz Seca, *La venganza de don Mendo.*

AÑO	VIDA Y OBRA DE PÍO BAROJA	ACONTECIMIENTOS HISTÓRICOS	ACONTECIMIENTOS CULTURALES
1921	*El sabor de la venganza. Las furias.*	Desastre de Annual. Es asesinado el jefe del gobierno español, Eduardo Dato.	Pirandello, *Seis personajes en busca de autor.* E. Mendelsohn, *Torre de Einstein,* ejemplo representativo del expresionismo arquitectónico. Pérez de Ayala, *Belarmino y Apolonio.*
1922	*La leyenda de Jaun de Alzate. El amor, el dandysmo y la intriga.*	Pío XI, nuevo papa. Mussolini, nuevo jefe del gobierno italiano. Descubrimiento del radar.	Carter descubre la tumba de Tutankamón. Joyce, *Ulises.* C. Vallejo, *Trilce.* Murnau, *Nosferatu, el vampiro.* Nace el *jazz.* Benavente, premio Nobel de Literatura. Gerardo Diego, *Imagen.*
1923	*El laberinto de las sirenas.*	Pronunciamiento del general Miguel Primo de Rivera: Alfonso XIII le encarga la formación de gobierno.	Rilke, *Elegías de Duino.* Eisenstein, *El acorazado Potemkin.* Ortega y Gasset funda la *Revista de Occidente.* Grau, *El señor de Pigmalión.*
1924	*Las figuras de cera. Divagaciones apasionadas. Crítica arbitraria.*	Watson formula su teoría conductista del comportamiento humano. De Broglie descubre la mecánica ondulatoria.	Breton, *Manifiesto del surrealismo.* Malevich, *Manifiesto suprematista.* Mann, *La montaña mágica.* Neruda, *Veinte poemas de amor y una canción desesperada.* Valle-Inclán, *Luces de bohemia.*
1925	*La nave de los locos.*	Heisenberg y Bohr enuncian los principios de la mecánica cuántica. Primer gobierno civil de Primo de Rivera.	Dos Passos, *Manhattan Transfer.* Prokofiev, *Romeo y Julieta.* Ortega y Gasset, *La deshumanización del arte.* Alberti, *Marinero en tierra.* J. Miró, *Carnaval de Arlequín.*

AÑO	VIDA Y OBRA DE PÍO BAROJA	ACONTECIMIENTOS HISTÓRICOS	ACONTECIMIENTOS CULTURALES
1926	*El gran torbellino del mundo. Las veleidades de la fortuna. El horroroso crimen de Peñaranda del Campo. Arlequín, mancebo de botica.*	Regímenes autoritarios en Polonia, Grecia y Portugal.	Se constituye el Círculo Lingüístico de Praga. Güiraldes, *Don Segundo Sombra*. Lang, *Metrópolis*. Crosland, *Don Juan*, primera película sonora. Jarnés, *El profesor inútil*.
1927	*Los amores tardíos. Las mascaradas sangrientas. Entretenimientos.*	Lindbergh atraviesa en avión el Atlántico. Pacificación de Marruecos.	Heidegger, *Ser y tiempo*. Hesse, *El lobo estepario*. Centenario de Góngora y conformación del grupo o Generación del 27.
1928	Se rueda la película *Zalacaín el aventurero. Humano enigma. La senda dolorosa. El horroroso crimen de Peñaranda del Campo y otras historias*.	Fleming descubre la penicilina. Baird realiza en Londres la primera transmisión de televisión en color.	Magritte, *Falso espejo*. Brecht, *La ópera de perra gorda* (o *de dos centavos*). Gershwin, *Un americano en París*. Dreyer, *La pasión de Juana de Arco*. Guillén, *Cántico*.
1929	*Los pilotos de altura. El nocturno del hermano Beltrán. El poeta y la princesa o El cabaret de la Cotorra Verde.*	Hundimiento de la Bolsa de Nueva York y crisis económica mundial. Exposiciones internacionales en Sevilla y Barcelona.	Hemingway, *Adiós a las armas*. Faulkner, *El ruido y la furia*. Rómulo Gallegos, *Doña Bárbara*. Nacen los Oscar cinematográficos. Marañón, *Amor, convivencia y eugenesia*. Buñuel, *Un perro andaluz*.
1930	*La estrella del capitán Chimista.*	Descubrimiento de Plutón. Encíclica *Quadragesimo anno*. Dimite Primo de Rivera.	Musil, primer tomo de *El hombre sin atributos*. Sternberg, *El ángel azul*. Le Corbusier, *Villa Saboya*, ejemplo cimero del racionalismo arquitectónico. Sender, *Imán*
1931	*Aviraneta o la vida de un conspirador. Los confidentes audaces. La venta de Mirambel.*	Segunda República española. Alfonso XIII abandona España.	V. Woolf, *Las olas*. Varèse, *Ionización*. Inauguración del *Empire State* de Nueva York. Dalí, *La persistencia de la memoria*. Gargallo, *El profeta*. García Lorca, *Bodas de sangre*.

AÑO	VIDA Y OBRA DE PÍO BAROJA	ACONTECIMIENTOS HISTÓRICOS	ACONTECIMIENTOS CULTURALES
1932	*La familia de Errotacho. El cabo de las tormentas. Los visionarios.*	Éxito del nacionalsocialismo en las elecciones alemanas. Chadwick descubre el neutrón.	Giacometti, *Mujer degollada.* Huxley, *Un mundo feliz.* Giménez Caballero, *Genio de España.* Moreno Torroba, *Luisa Fernanda.*
1933	*Juan Van Halen, el oficial aventurero.*	Hitler asume el poder en Alemania. José Antonio Primo de Rivera funda Falange Española.	Malraux, *La condición humana.* Nace el personaje de tebeo Flash Gordon. Salinas, *La voz a ti debida.* Pemán, *El divino impaciente.*
1934	Es elegido miembro de la Real Academia Española. *Las noches del Buen Retiro. Siluetas románticas y otras historias de pillos y extravagantes.*	El centroderecha accede al gobierno de España, tras su victoria en las elecciones del año anterior.	Calder, *Steel Fish.* Graves, *Yo, Claudio.* Hindemith, *Matías el pintor.* Clair, *El último millonario.* Maeztu, *Defensa de la Hispanidad.* Miguel Hernández, *Perito en lunas.*
1935	Muere su madre. Lee su discurso de ingreso en la Academia: *La formación psicológica de un escritor. Crónica escandalosa. Desde el principio hasta el fin. Vitrina pintoresca.*	Pacto franco-soviético y exclusión de Alemania en una reunión internacional de alto nivel. Europa se encamina hacia la guerra.	Tanguy, *Cita de las paralelas.* Eliot, *Asesinato en la catedral.* Icaza, *Huasipungo.* Berg, *Lulú.* Torroja, *Hipódromo de la Zarzuela.* Rosales, *Abril.*
1936	Tras el estallido de la guerra civil marcha a París. *El cura de Monleón. Rapsodias.*	Triunfo del izquierdista Frente Popular en las elecciones y consiguiente estallido de la guerra civil española. En la zona nacional, Franco es designado jefe del Estado.	Mounier, *Manifiesto al servicio del personalismo.* Bernanos, *Diario de un cura rural.* Chaplin, *Tiempos modernos.* Wright, *Casa de la cascada.* Cernuda, *La realidad y el deseo.*
1937	*Locuras de carnaval.*	Guerra chino-japonesa. Decreto de Unificación en la España nacional: Franco concentra todo el poder político y militar.	Priestley, *La herida del tiempo (El tiempo y los Comway).* Orff, *Carmina Burana.* Shostakovich, *Quinta sinfonía.* Renoir, *La gran ilusión.*

AÑO	VIDA Y OBRA DE PÍO BAROJA	ACONTECIMIENTOS HISTÓRICOS	ACONTECIMIENTOS CULTURALES
1938	*Susana.*	Conferencia de Múnich, intento inútil de controlar el expansionismo hitleriano. Se promulga en España el Fuero del Trabajo.	Brancusi, *Columna sin fin*. Sartre, *La náusea*. Cocteau, *Los padres terribles*. Foxá, *Madrid, de corte a cheka*.
1939	*Laura o la soledad sin remedio. Ayer y hoy. Historias lejanas. El tesoro del holandés. Los espectros del castillo. El diablo a bajo precio.*	Segunda Guerra Mundial. Pío XII, nuevo papa. Descubrimiento de la fisión nuclear. Termina la guerra civil española.	Steinbeck, *Las uvas de la ira*. Ford, *La diligencia*. Fleming y Cukor, *Lo que el viento se llevó*.
1940	Regresa a España y se instala en Madrid.	España se declara *no beligerante* en la guerra. Se crea la Organización Sindical, que sustituirá a los sindicatos de clase.	Messiaen, *Cuarteto para el fin de los tiempos*. Welles, *Ciudadano Kane*. Rodrigo, *Concierto de Aranjuez*. Jardiel Poncela, *Eloísa está debajo de un almendro*.
1941	*Chopin y Jorge Sand, y otros ensayos. Los impostores joviales y otras historias.*	Estados Unidos entra en la guerra tras el ataque japonés a Pearl Harbor. Se crea la División Azul española para combatir en Rusia contra el comunismo.	Delvaux, *El Congreso*. Petrassi, *Coro di morti*. Sáenz de Heredia, *Raza*, película con guión del general Franco. Ricardo León, *Cristo en los infiernos*.
1943	*El caballero de Erláiz. Pequeños ensayos. El estanque verde.*	Desembarco aliado en Italia y caída de Mussolini.	Saint-Exupéry, *El principito*. Torrente Ballester, *Javier Mariño*.
1944	*Canciones del suburbio. El escritor según él y según los críticos. Familia, infancia y juventud.*	Desembarco aliado en Normandía y entrada en Alemania. Aiken pone en funcionamiento la máquina *Mark I*, antecedente del cerebro electrónico.	Matta, *El vértigo de Eros*. Anouilh, *Antígona*. Borges, *Ficciones*. Preminger, *Laura*. Hawks, *Tener y no tener*. Dámaso Alonso, *Hijos de la ira*. Aleixandre, *Sombra del paraíso*.

AÑO	VIDA Y OBRA DE PÍO BAROJA	ACONTECIMIENTOS HISTÓRICOS	ACONTECIMIENTOS CULTURALES
1945	Se estrena la zarzuela *Adiós a la bohemia,* con libreto suyo. *El puente de las Ánimas. Final del siglo XIX y principios del XX.*	Fin de la Segunda Guerra Mundial. Ley de Referéndum Nacional y Fuero de los Españoles, en el que España se define como estado católico, social y representativo.	Gabriela Mistral, premio Nobel de Literatura. Giraudoux, *La loca de Chaillot.* Britten, *Peter Grimes.* Rossellini, *Roma, ciudad abierta.* Carmen Laforet, *Nada.*
1946	*El Hotel del Cisne.*	Guerra de Indochina. Los comunistas comienzan a apoderarse del poder en Europa del Este. La ONU recomienda la retirada de los embajadores acreditados en España.	Pollock, *La llave.* Broch, *La muerte de Virgilio.* Asturias, *El señor presidente.* Honegger, *Sinfonía litúrgica.* Vidor, *Gilda.* Rosa Chacel, *Memorias de Leticia Valle.*
1947	*Galería de tipos de la época.*	Hallazgo en Qumrâm (Israel) de los manuscritos bíblicos del mar Muerto. Se inicia la *guerra fría.* Aprobada en referéndum la Ley de Sucesión en la Jefatura del Estado español.	Moravia, *La romana.* Tennesee Williams, *Un tranvía llamado deseo.* Genet, *Las criadas.* José Luis Hidalgo, *Los muertos.*
1948	*Los enigmáticos. La intuición y el estilo. Reportajes.*	Creación del estado de Israel, origen de la guerra entre árabes y judíos. Se inventa el transistor.	Primeros experimentos de *música concreta,* realizados por Schaeffer. Moore, *Tres figuras.* Capote, *Otras voces, otros ámbitos.* Sábato, *El túnel.* Capra, *¡Qué bello es vivir!*
1949	*Bagatelas de otoño,* séptimo y último tomo de sus memorias, *Desde la última vuelta del camino. Ciudades de Italia.*	Nace la OTAN. Las tropas comunistas de Mao toman el poder en China.	Orwell, *1984.* Carpentier, *El reino de este mundo.* Jolivet, *Concierto para piano.* Calvo Serer, *España sin problema.* Buero Vallejo, *Historia de una escalera.*
1950	*El cantor vagabundo.*	Guerra de Corea, tras la invasión comunista de la zona sur de la península. España, admitida en una organización mundial, la FAO.	Primeros pasos, en Colonia, de la música electrónica. Ionesco, *La cantante calva.* Onetti, *La vida breve.* Mankiewicz, *Eva al desnudo.* Delibes, *El camino.*

AÑO	VIDA Y OBRA DE PÍO BAROJA	ACONTECIMIENTOS HISTÓRICOS	ACONTECIMIENTOS CULTURALES
1952	*Las veladas del chalet gris. La obsesión del misterio.*	Suprimida en España la cartilla de racionamiento.	Rouault, *Nocturno cristiano.* Cage, *Concierto para piano preparado.* Estreno de *Tres sombreros de copa,* de Mihura.
1953	*El país vasco. Los amores de Antonio y Cristina. Intermedio sentimental.*	Watson y Crick elaboran el modelo espacial del ADN. España firma el Concordato con la Santa Sede y los primeros acuerdos con Estados Unidos.	Barthes, *El grado cero de la escritura.* Beckett, *Esperando a Godot.* García Berlanga, *Bienvenido, míster Marshall.* Sastre, *Escuadra hacia la muerte.*
1954	*Los contrabandistas vascos.*	Guerra entre Francia y los independentistas argelinos. La guerrilla comunista de Vietnam derrota a las tropas francesas.	Dubuffet, *El vagabundo.* Sagan, *Buenos días, tristeza.* Fellini, *La strada.* Nacimiento del *rock and roll.* Fernández Santos, *Los bravos.* Joaquín Calvo Sotelo, *La muralla.*
1955	*Paseos de un solitario. Aquí París.*	Creación del Pacto de Varsovia por parte de la Unión Soviética y sus países satélites. Aparece el disco de 45 revoluciones por minuto. España ingresa en la ONU.	Rauschenberger, *Odalisca.* Robbe-Grillet, *El mirón.* Nabokov *Lolita.* Rulfo, *Pedro Páramo.* N. Ray, *Rebelde sin causa.* J. Goytisolo, *Duelo en el Paraíso.*
1956	Muere en Madrid el 30 de octubre. *La decadencia de la cortesía y otros ensayos. La obra de Pello Yarze y algunas otras cosas.*	Crisis del canal de Suez. España concede la independencia a Marruecos, hasta entonces protectorado. Televisión Española emite por primera vez.	Fromm, *El arte de amar.* Osborne, *Mirando hacia atrás con ira.* Stockhausen, *Canto del adolescente.* Bergman, *El séptimo sello.* J. R. Jiménez, premio Nobel de Literatura. Sánchez Ferlosio, *El Jarama.*

DOCUMENTACIÓN COMPLEMENTARIA

1. Concepción de la novela

Esta tendencia mía de no apreciar gran cosa la composición me ha hecho descuidarla un tanto en mis libros. Muchos novelistas, Galdós entre ellos, por lo que él me dijo, pensaba *[sic]* un plan y luego lo proyectaba sobre un lugar, una ciudad, un paisaje o un campo. Este procedimiento me parece de novelista dramático. Yo no procedo así. A mí, en general, es un tipo o un lugar lo que me sugiere la obra. Veo un personaje extraño que me sorprende, un pueblo o una casa, y siento el deseo de hablar de ellos. Yo escribo mis libros sin plan; si hiciera un plan, no llegaría al fin. Cuando he intentado hacer un drama, no he podido seguirlo hasta el desenlace. Ya el desenlace no me interesa. Yo necesito escribir entreteniéndome en el detalle, como el que va por el camino distraído, mirando este árbol, aquel arroyo y sin pensar demasiado dónde va. Para mí, en general, la tesis stendha-liana de que la originalidad y el interés están en el detalle me parece exacta. Relacionada con la cuestión del interés está la de la unidad. Yo creo que no debe haber ni puede haber unidad en la obra literaria más que en un trabajo corto. Me refiero a la unidad natural, a la uni-dad de impresión y de efecto. Podrá haber unidad de preceptista, pero no es ésa la que a mí me preocupa. Una novela larga siempre será una sucesión de pequeñas novelas cortas.

¿Qué unidad va a haber en *Los miserables,* de Victor Hugo? Nin-guna. No sólo no hay unidad de impresión en las novelas muy largas, sino también en éstas de un tomo nutrido del tipo de *Madame Bovary.*

La unidad de sensación o unidad de efecto no se puede conseguir más que en narraciones cortas; por ejemplo, las de Turguenef y las de Merimée, que se pueden leer de una sentada, en las que se abarca, en un lapso de tiempo corto, su comienzo, su génesis y su final.

Los libros que necesitan varias sesiones de lectura, es decir, que entre lectura y lectura se intercalan actos de la vida real, a mi manera de ver, no deben intentar una unidad estrecha.

Siguiendo esta tendencia, los libros que he escrito los he pensado o para leerlos de un golpe, buscando la unidad de efecto, o para leerlos a ratos, haciendo los capítulos cortos y concentrando toda la atención en los detalles.

> (Pío Baroja, «La intuición y el estilo», *Desde la última vuelta del camino,* en *Obras completas,* VII, Madrid, Biblioteca Nueva, 1978, 2.ª ed., pág. 1032).

2. BAROJA, ESCRITOR POLÉMICO

Yo siempre he sido considerado un escritor de la calle, sin la formación necesaria, ni los conocimientos científicos suficientes, para ingresar en centros académicos. Esta idea respecto a mí es cierta, no me he dedicado a estudiar las bellezas posibles del idioma, porque no creía mucho en ellas. Mi cuidado principal ha sido el expresar con claridad mis ideas y mis sensaciones.

Para mí la perfección de la forma literaria no puede proceder de un esfuerzo aislado, personal, sino de una labor colectiva de siglos. Así sucede que en los países donde la lengua está muy trabajada, como en Francia, todas las personas cultas escriben correctamente.

No he sentido nunca la necesidad de más palabras para expresarme en castellano; lo que sí he echado muchas veces de menos ha sido la claridad y la precisión. Esas palabras que chillan, y cuyo empleo para algunos constituye el desiderátum de la literatura, a mí me producen más bien efecto desagradable y grotesco.

> (Pío Baroja, *La formación psicológica de un escritor. Discurso leído ante la Academia Española,* Madrid, Espasa Calpe, 1935, pág. 9).

Si de la obra de Baroja se hiciese, como de la de Balzac, un censo, sospecho que en el número de personajes dejaría atrás la *Comedia humana,* no obstante su menor extensión. Llueven torrencialmente sobre cada volumen las figuras sin que se nos dé tiempo a intimar con ellas. *Ut quid perditio haec?* ¿Para qué este desperdicio? La posibilidad material de hacinar tal cúmulo de personajes revela que no trata el autor a cada uno como es debido. En efecto: analícese cualquiera de sus libros, y se verá cómo la mayor parte de estos personajes no ejecutan ante nosotros acto alguno. En dos o tres páginas resume el autor su historia y juzga su personalidad. Hecho esto, los vuelve a la nada, y el libro, más que una novela, parece el pellejo de una novela.

¿No es absurdo proceder semejante? Baroja suplanta la realidad de sus personajes por la opinión que él tiene de ellos.

He aquí una de las maneras de este autor que a mí no me caben en la cabeza. Que invente un novelista figuras humanas y en lugar de mostrárnoslas ellas mismas, en sus actos externos e internos, las deje fuera del libro y en su lugar nos refiera lo que él piensa de tales criaturas desconocidas de nosotros, me parece una extravagancia indefinible.

Además, me parece un vicio.

(José Ortega y Gasset, «Ideas sobre Pío Baroja», *El espectador,* I, Madrid, Espasa Calpe, 1977, 2.ª ed., págs. 137-138).

3. SOBRE *ZALACAÍN EL AVENTURERO*

De mis libros, algunos han llegado a un relativo éxito: pero los únicos que han conseguido cierta pequeña notoriedad han sido los libros vascos, y no dentro del país, donde siempre se ha leído poco, sino fuera del país. De *Zalacaín el aventurero* se han hecho nueve o diez traducciones, y se ha publicado el texto en español, con notas, en Inglaterra, en los Estados Unidos y en Suecia.

Zalacaín ha sido tomada en algunos pueblos de la frontera vasca como verdadera historia.

Al llegar a Vera, hace unos treinta y cinco años, el médico, el doctor Larumbe, me dijo:

—El maestro de música Irazoqui y yo hemos estado pensando qué cocina puede ser la de una casa del barrio de Alzate, que usted describe en *Zalacaín.*

En Elizondo me hicieron una observación parecida. En Cestona me dijeron, señalándome una revuelta de la carretera: «Aquí es donde echaría el fardo el coche contrabandista al que siguió Zalacaín». Unos jóvenes de Estella discutieron delante de mí si podía o no podía ser el que Zalacaín hubiese huido de la cárcel de aquella ciudad.

Las inquietudes de Shanti Andía se ha leído en pueblos de la costa vasca y se ha traducido algo; pero es una novela ya arqueológica [...].

Respecto a Jaun de Alzate, ha llegado a tener un tipo de vida en las orillas del Bidasoa [...].

De estos tres libros míos, *Zalacaín* es el que ha marchado con más energía, y tiene todavía una cierta vida legendaria.

Hay gentes del País Vasco que cuando pasan por algún sitio salvaje, abrupto, de la frontera, dicen:

—Por ahí andaría Zalacaín.

Es curioso que una novela mía, escrita en un par de meses, haya llegado a tener cierta influencia, que se haya comentado en las aldeas, y al mismo tiempo en la Sorbona de París, y que, en cambio, otros libros míos de más empeño no hayan podido conseguir ni lo uno ni lo otro.

(Pío Baroja, «La intuición y el estilo», cit., págs. 1080-1081).

¿Qué ocurre que, pese a la simpatía del personaje, pese a la vivacidad y relieve del contorno, pese al dinamismo y emoción de los lances, quedamos un tanto fríos, lejanos, ajenos a todo lo que pasa? Sin duda, la causa esencial está en el *tono* que Baroja rarísimas veces consigue o intenta superar; esa distancia, ese «exceso» de independencia del narrador respecto a su fábula (algo que es, podríamos decir, todo lo negativo, lo que comporta de negativo la famosa «objetividad» flaubertiana, pero sin objetividad). El novelista no pone pasión al contar; casi todo el libro —salvo algún toque nostálgico, casi lírico, de evocaciones ambientales— está escrito con la sequedad impasible y fría de un informe, con una especie de inhumana indiferencia (por lo mismo escasamente objetiva) que hace sentir (o, mejor, ver) a los personajes, incluso al incansable y simpático Martín, como figurillas agitadas, de un modo innecesario y vano, en un retablo de titiritero.

(Eugenio G. de Nora, *La novela española contemporánea (1898-1927)*, Madrid, Gredos, 1963, 2.ª ed., pág. 143).

TALLER DE LECTURA

1. Biografía y aspectos existenciales

1.1. Pocos hechos notables ofrece a la consideración del biógrafo la existencia de Baroja. ¿De qué forma explicar, entonces, que las vidas de sus personajes sean una aventura continua? He aquí un ejemplo de literatura posiblemente convertida en sublimación de aspiraciones insatisfechas: el creador refleja en ella no sus vivencias reales, sino aquellas que quizá hubiera deseado experimentar. Yendo más lejos, esa pasión por la aventura podría considerarse una especie de salida para el absurdo existencial.

 — ¿Qué significado cabe dar al hecho de que Baroja retrate a los padres de Zalacaín (capítulo I) de la forma en que lo hace?
— ¿Qué rasgos de la infancia del personaje permiten aventurar su comportamiento adulto?

1.2. A primera vista una novela como ésta, «nada profunda, con poca o ninguna trascendencia» (Mary Lee Bretz[1]), da

---

[1] *La evolución novelística de Pío Baroja,* Madrid, José Porrúa Turanzas, 1979, pág. 342.

poco pie a serias reflexiones sobre la condición humana. Profundizando en el texto descubrimos, sin embargo, la existencia de los cauces por los que se vierten las ideas del escritor.

 — Uno de esos elementos es la insistencia en el comportamiento brutal de los seres humanos. Señálense los fragmentos de la novela en que esta observación puede constatarse.

1.3. El desenlace sintetiza ese pesimismo barojiano que, incluso en una novela de aventuras, era forzoso que saliera a la luz. En la parte final de *Zalacaín* la sensación de apagamiento es evidente. Como sucede, por ejemplo, en *Laura o la soledad sin remedio,* el personaje tiene todo lo necesario para ser feliz, pero no lo es.

 — Una muerte violenta pone fin a su vida. Al margen de su contribución a la imagen mítica de Zalacaín, ¿qué significado puede darse a ese hecho en relación con el trasfondo existencial de la novela?
— El entorno contribuye a proporcionar esa impresión de irreprimible tristeza final. ¿En qué aspectos se percibe ese pesimismo que parece contenido durante todo el relato hasta estallar en el desenlace?

2. ASPECTOS IDEOLÓGICOS

2.1. *El ser histórico español*

La reflexión sobre el ser histórico de España ha preocupado durante siglos a la intelectualidad española. El noventayochista Baroja propone en *Zalacaín* una interpretación teñida de pesimismo, afrontando la cuestión desde al menos tres puntos de vista: 1) el componente de violencia irracional de nuestro comportamiento; 2) la injusta identificación de España con lo que a fin de cuentas es sólo una parte de ella (el Sur); 3) la simpatía por esa *intrahistoria* que contempla no a la gente que ocupa grandes espacios en los libros, sino a la que vive una existencia más anodina.

 — Indíquense los fragmentos de la novela en que cada uno de esos aspectos es tratado y apúntese la interpretación barojiana de los tres.

2.2. *El escepticismo ideológico*

Por encima de cualesquiera consideraciones políticas, cabe conceptuar a Baroja como un escéptico propicio a la rebeldía contra todo. En *Zalacaín* ese escepticismo que casi llega a ser nihilismo, es decir, la negación de toda creencia, se advierte en el rechazo más o menos rotundo de las opciones políticas que se ofrecían a la consideración del español del siglo XIX. El protagonista lucha por sí mismo, y en realidad su desprecio por el carlismo es tardío: el lector no se percata de él hasta el inicio del libro segundo.

 — ¿Qué argumentos se barajan en la novela para atacar el carlismo, el liberalismo y la República?

2.3. *El carlismo*

2.3.1. Entre todos los elementos históricos de la novela es el carlismo aquel en que la mirada del escritor se detiene más tiempo. Se detectan, sin embargo, algunas otras calas de carácter social. De hecho, el enfrentamiento entre Carlos Ohando y Zalacaín responde a una obvia dialéctica social.

— ¿En qué pasajes de la novela se concreta la oposición social entre Martín y Carlos?

— ¿Qué otros momentos permiten discernir un cierto planteamiento socialmente crítico por parte del narrador, y en qué medida se puede relacionar con la visión de la novela como reflejo de la época en que se escribe?

2.3.2. Es interesante detenerse en la figura de un escritor vasco (como Unamuno) y, precisamente por eso, profundamente español. Zalacaín ejemplifica la postura de vasco perfectamente hermanado con su tierra natal y que, al mismo tiempo, «se sentía muy español» (libro segundo, capítulo II), motivo este que posiblemente explica su repudio de un carlismo fuertemente identificado (aunque no en exclusiva) con posturas que avanzan el nacionalismo que habrá de desarrollarse en las Vascongadas durante el siglo XX.

 — ¿Cómo se trata en la novela el tema del enraizamiento del carlismo en la gente del pueblo y qué motivos lo explican?

— Teniendo en cuenta lo anterior, ¿cuál es la razón de que el narrador haga hincapié en la abundancia de extranjeros en las filas carlistas?

2.3.3. La visión que del carlismo proporciona Baroja es profundamente negativa. No mejor es la consideración que como individuos le merecen sus defensores convencidos. Pero el narrador se permite matizaciones que afectan a quienes no son dirigentes de la causa.

 — Analícense las ideas que sobre el carlismo se despliegan en la novela.

— Estúdiense los comportamientos de los personajes que lo representan.

2.4. *La religión*

Las reticencias de Baroja hacia la religión están en la base de su repudio del carlismo, que asocia a aquélla. Uno y otra representan, a su juicio, la España tradicional, incapaz de mirar hacia el futuro. Pero también en el caso de la religión, como sucede con el carlismo, la idea combatida se humaniza en un personaje o en una actitud.

 — Identifíquense las secuencias en que tal *humanización* se produce y explíquese su función en la novela.

2.5. *La mujer*

2.5.1. La actitud vital de Baroja ante la mujer ha sido discutida desde diferentes puntos de vista, e incluso ha dado pie a la redacción de libros y artículos monográficos. Para no pocos críticos las mujeres de *Zalacaín,* como las de la práctica totalidad de la producción barojiana, apenas ofrecen interés como personajes.

 — Discútase esta idea sobre la base de la hipótesis de que el escritor contempla a la mujer sin ningún propósito de adentrarse en su interior psicológico.

2.5.2. Se ha señalado que la vida de Zalacaín es independiente del amor, que se convierte así no en un incentivo para la acción (como sucede habitualmente en la novela), sino en posible obstáculo e incluso causa de desastre. Petit resalta, por ejemplo, la facilidad con que Zalacaín olvida a Catalina. Significativa resulta la duda del protagonista sobre sus sentimientos hacia ella cuando se interpone Linda.

 — ¿Qué papel representan una y otra mujer? ¿De qué manera las juzga Zalacaín? ¿Qué significado da a la escena en que tres mujeres colocan sobre su tumba tres rosas de colores distintos?

3. Personajes

3.1. El protagonista de la novela asume la defensa del ideario barojiano. Pero no es el único personaje que presenta características propias del escritor vasco. En *Zalacaín* hay varios perfectamente integrables en su orbe ideológico. Se diría que el escritor ha preferido no dejar que sea Zalacaín quien cargue con el peso de sus ideas aventureras: se nos aparece, así, menos aislado que el tradicional héroe enfrentado en solitario al universo.

 — Identifíquense esos personajes y enumérense las características que justifican su proximidad vital al protagonista.

3.2. El retrato de Carlos Ohando no puede ser más opuesto al que se hace de Zalacaín. Baroja ni siquiera se molesta en perfilar tan negativo personaje: la oposición entre Zalacaín y Carlos debe ser rotunda, y no admite pinceladas grises que quizá habrían humanizado a ambos.

 — ¿Tiene algún sentido la identidad onomástica entre el enemigo de Zalacaín y el pretendiente al trono de España?

4. La presencia de la literatura

4.1. *Zalacaín* acumula elementos procedentes de la tradición literaria. Así, los títulos de los capítulos son inequívocamente literarios (cervantinos, de manera más precisa, aunque alguno, como el que da inicio al capítulo XII del segundo libro, sea más típico del folletín). Eller ha creído detectar la existencia de pasajes concretos en que la tradición literaria está presente en *Zalacaín* En un sentido general, el concepto de *novela histórica* sobrevuela el argumento del libro. Pero también encontramos en él elementos picarescos.

 — Especifíquense los rasgos de la novela picaresca en que se pueda basar la relación de *Zalacaín* con dicho género.

4.2. Tanto sobre esta novela como sobre el conjunto de la producción barojiana influye de manera determinante el acopio de materiales procedentes del folletín, tan denostado como reconocible en los mejores novelistas de finales del siglo XIX y principios del XX.

 — Determínese la importancia en *Zalacaín* de los siguientes elementos literarios procedentes de la novela folletinesca: 1) movilidad de los personajes; 2) expresión directa; 3) carencia de alambicamientos retóricos; 4) acción rápida; 5) multiplicidad de personajes; 6) intriga; 7) reapariciones inesperadas de personajes olvidados.

4.3. Se ha anotado en la introducción el trasfondo mítico de la vida de Zalacaín. El enfrentamiento del héroe con Carlos no deja de ser la actualización de un pasado familiar que uno y otro arrastran. En ese sentido, la muerte de Zalacaín viene anunciada por una historia de siglos. Adviértase, por otro lado, cómo el propio narrador, al menos en un par de ocasiones (libro segundo, capítulo XIV; libro tercero, capítulo V), se siente *obligado* (sea por desconfianza en la capacidad del lector, sea por falta de elaboración de lo escrito) a *explicar* ese paralelismo mítico-literario.

— ¿Qué personajes de la novela funcionan, en diferentes momentos, a la manera de profetas que anuncian acontecimientos futuros?

— Añádanse a los indicados en la introducción los aspectos en que se perciba la mitificación del protagonista.

— Identifíquense los párrafos en que Baroja *aclara* al lector la referencia mítica.

4.4. Otro de los ecos literarios que se escuchan en la lectura de *Zalacaín* es el del romanticismo, a fin de cuentas heredado como hipotexto por los escritores realistas / naturalistas. Esta novela de Baroja se tradujo al francés, con éxito más que notable, en 1926. Gustó, interpreta José Corrales Egea[2], por la acumulación de ese tipo de elementos localistas, aventureros, coloristas..., románticos, en definitiva, tan del gusto de la Francia intérprete de la España decimonónica (recuérdese, por ejemplo, la ópera *Carmen,* de George Bizet).

 — Especifíquense los rasgos románticos, generales (comportamiento de los personajes) y particulares (referencias textuales) incluidos en la novela.

4.5. Una narrativa tan realista como la de Baroja no admite con facilidad las trasposiciones simbólicas que permiten al lector crear un universo interpretativo propio.

 — Pero ¿sería posible buscar algún simbolismo en esa soterrada hostilidad que los habitantes de la Urbía de intramuros sienten hacia todo lo de fuera, incluidos sus convecinos que habitan fuera de la muralla (capítulo I del libro primero)?

— ¿Puede buscarse algún significado especial al hecho de que Carlos Ohando termine la novela convertido en jesuita, mientras que Zalacaín da a su mujer un hijo?

---

[2]   *Baroja y Francia,* Madrid, Taurus, 1969.

5. ASPECTOS ESTILÍSTICOS

5.1. En cualquier novela de aventuras predomina la acción sobre la descripción. Lo que no significa que en *Zalacaín* falten pasajes descriptivos que dan pie a Bello Vázquez, por ejemplo, a hablar de una estética impresionista configurada por distintos planos y de un acentuado colorismo derivado del empleo de la luz.

 — Resáltese ese tipo de pasajes y adviértase la presencia en ellos de la Naturaleza.
— Contrástense el tratamiento que el narrador da a los elementos de ésta y el que reciben elementos como los edificios.

5.2. Podría parecer en cierto modo extraño que a un héroe tratado en clave mítica como Zalacaín le corresponda una muerte descrita en términos tan escuetos.

 — Al margen de que la frase breve (muy frecuentemente seguida de punto y aparte) sea tan del gusto de Baroja, ¿se consigue algún efecto sobre el lector al reducir este pasaje trágico a unas pocas líneas?

5.3. Baroja no es precisamente el modelo que debe seguirse a la hora de buscar una escritura correcta del español. Su estilo es, sin duda, directo, efectivo, fácil para el lector que no busque en un libro un léxico variado. Abundan en Baroja incorrecciones gramaticales y usos léxicos cuando menos discutibles.

 — Anótese el mayor número posible de violaciones de las normas gramaticales y léxicas en *Zalacaín* (una orientación numérica: superan la treintena).

6. BAROJA, ESCRITOR POLÉMICO

6.1. Baroja es uno de los escritores más debatidos de nuestra literatura contemporánea. A sus indiscutibles virtudes como narrador ágil cabe oponer un buen número de reservas no menos indiscutibles. No cabe duda de que es un autor ante el cual el ejercicio de objetividad resulta en verdad difícil, porque es la propia sensibilidad de cada lector la que dicta aprobaciones y condenas.

 — Apelando ahora al gusto particular de cada lector, ¿cuál de las dos posturas parece más defendible, y por qué motivos?

6.2. Hagamos con Uribe una somera recopilación de críticas negativas: incorrecciones gramaticales, descuido estilístico, personajes incoherentes y en número excesivo, carencia de arquitectura narrativa sólida, folletinismo, abundancia de digresiones inútiles, falta de libertad de unos personajes aplastados por la intervención de su creador, desenlaces torpes, inexistencia de héroes de altura universal.

 — ¿Cuáles de estas censuras podrían ser aplicables a *Zalacaín?*

6.3. En la introducción, sin embargo, se ha dejado constancia de lo que la narrativa barojiana tiene de positivo a juicio de las varias generaciones de lectores que han disfrutado con ella: caracterización de ambientes, autenticidad en la contemplación de objetos, narración directa, capacidad de transformar lo trivial en algo interesante, naturalidad de los diálogos.

 — Aplíquense estas características a los pasajes de *Zalacaín* en que se advierta su presencia.

6.4. Para sus detractores, muchas novelas de Baroja parecen un simple amontonamiento de historias y anécdotas; una acumulación de encuentros de personajes que aparecen y desaparecen sin que llegue a explicarse el porqué de su presencia; una sucesión de digresiones ideadas por el autor para plasmar por escrito sus particulares opiniones.

 — En *Zalacaín*, 1) ¿de qué personajes podría prescindirse sin dañar el conjunto?; 2) ¿qué historias de las varias que se narran en la novela podrían suprimirse sin dañar en nada a la principal?; 3) ¿en qué momentos los personajes dialogan sobre temas no relacionados con el argumento?; 4) ¿aportan algo las canciones insertadas en el relato?

6.5. *Zalacaín* contradice, como la práctica totalidad de la producción barojiana, la idea de la novela como arquitectura en la que todas las piezas encajan con precisión para embellecer el conjunto. Podría argumentarse, desde otro punto de vista, que la estructura de la obra no debe de ser tan descuidada si su división tripartita se corresponde con el tradicional esquema planteamiento-nudo-desenlace, infancia-madurez-muerte.

 — ¿Qué otros elementos del libro ayudarían a sustentar la idea de una cierta planificación narrativa por parte del escritor?

7. COMENTARIOS DE TEXTO

7.1. *Libro segundo. «Andanzas y correrías», cap. I, pág. 99*

Hay hombres para quienes la vida es de una facilidad extraordinaria. Son algo así como una esfera que rueda por un plano inclinado, sin tropiezo, sin dificultad alguna.

¿Es talento, es instinto o es suerte? Los propios interesados aseguran ser instinto o talento; sus enemigos dicen casualidad, suerte, y esto es más probable que lo otro, porque hay hombres excelentemente dispuestos para la vida, inteligentes, enérgicos, fuertes y que, sin embargo, no hacen más que detenerse y tropezar en todo.

Un proverbio vasco dice: «El buen valor asusta a la mala suerte». Y esto es verdad a veces..., cuando se tiene buena suerte.

Zalacaín era afortunado; todo lo que intentaba lo llevaba bien. Negocios, contrabando, amores, juego... Su ocupación principal era el comercio de caballos y de mulas, que compraba en Dax y pasaba de contrabando por los Alduides o por Roncesvalles.

Tenía como socio a Capistun el *Americano,* hombre inteligentísimo, ya de edad, a quien todo el mundo llamaba el *Americano,* aunque se sabía que era gascón. Su mote procedía de haber vivido en América mucho tiempo.

7.1.1. Este fragmento funciona a manera de introducción a la etapa aventurera de Zalacaín, ya que encabeza el primer capítulo del libro segundo. Es, por tanto, el pórtico a la vida adulta del protagonista. No se menciona a éste, sin embargo, hasta el cuarto párrafo. Los tres anteriores pueden considerarse una más de las habituales digresiones narrativas características en la novelística barojiana. Pero, al menos en esta ocasión, tal excurso procede.

Efectivamente, su relación con el conjunto de la novela es incontestable. Se alude en él a elementos caracterizadores de la vida de Zalacaín: buena suerte, instinto, quizá talento. El narrador, siempre interesado (demasiado interesado, cabría puntualizar) en aclarar al lector relaciones que tal vez a éste podrían pasarle inadvertidas, no deja escapar la ocasión de vincular su excurso con la biografía de su héroe.

7.1.2. La *estructura* del fragmento reproduce, pues, un esquema convencional: A. Generalización (párrafos 1-3); B. Aplicación de A al caso particular (párrafos 4-5).

El bloque A admite, a su vez, una división tripartita corres-
pondiente a cada uno de los tres párrafos que lo componen. En
el primero se formula la aseveración que se pretende explicar
y, posteriormente, ejemplificar. De ahí el tono rotundo de la
afirmación. El segundo párrafo provee una posible explicación de lo afirmado. La contraposición de dos justificaciones
es falaz, porque el narrador (cosa habitual en Baroja) se introduce en su relato para tomar partido, en este caso en favor del
azar. El escritor introduce con su observación ese escepticismo
característico en él, escepticismo que se resiste a admitir la
posibilidad de una ordenación en el caos del universo. Inteligencia, sensibilidad, energía poco pueden contra el mero azar,
y esto es una prueba de tal falta de ordenación. En cualquier
caso, Baroja ha aprovechado este párrafo para introducir una
opinión propia en el relato.

No se ausenta en el siguiente párrafo, que, enlazando con el
citado escepticismo, añade una nota de humor de alguna manera desencantado. Ni siquiera la sabiduría popular puede to-
marse como referencia. Baroja, que tantas anécdotas de raíz
popular utilizó, recurre aquí a esa tradición en forma de dicho
de su tierra. Pero un dicho que cualquier circunstancia de la
realidad puede rebatir. La nota escéptica se duplica: «a veces», «cuando se tiene buena suerte». Los puntos suspensivos
refuerzan esa postura dubitativa ante una realidad que se resiste al encasillamiento o la definición.

El segundo bloque de la estructura diseñada se inicia con la
mención del héroe de la novela: la digresión ha concluido y el
lector retorna al relato. La grandeza del personaje es conve-
nientemente resaltada con una afirmación tan simple como
rotunda, sintácticamente conformada por sólo los elementos
imprescindibles: sujeto, verbo, atributo. Una afirmación re-
forzada con otra en la que la palabra «todo» simboliza la absoluta fortuna del personaje. Aún se añade otro elemento
magnificador, la enumeración: «Negocios, contrabando, amores, juego». Y otra vez unos puntos suspensivos que dejan
abierta la posibilidad de que se adicionen otros sustantivos.

Los citados, por otra parte, parecen escogidos con una determinada finalidad. Negocios y contrabando no se oponen directamente, pero está claro que lo segundo implica una actividad ilícita, mientras que lo primero hace pensar más bien en tratos legales. Amor y juego, como es bien sabido, sí se oponen radicalmente en la fraseología popular: «Afortunado en el juego, desgraciado en amores». Pero nada puede ser obstáculo en el camino de un Zalacaín a quien la fortuna sonríe en todos los terrenos.

El último párrafo seleccionado presenta a un personaje secundario con sólo tres pinceladas, suficientes (como ya sabemos) en la concepción barojiana: es muy inteligente, de edad avanzada y gascón. Gascón, y no francés, porque en una novelística tantas veces regional como la de Baroja la puntualización puede ser necesaria. Adviértase, por último, un descuido estilístico de los que no sorprenden en Baroja. Es superfluo que en la primera línea se presente al personaje como Capistun el *Americano* si inmediatamente se nos va a decir que todo el mundo le llama el *Americano.* Cabe recordar de nuevo ese desaliño estilístico que suscita tantos elogios como rechazos.

7.1.3. El fragmento reproducido permite, en fin, recordar los *rasgos estilísticos* barojianos. Las frases son casi telegráficas, sin elaboraciones retóricas. A lo sumo, algunas conjunciones actúan a manera de enlaces en no pocas ocasiones *falsos.* Así, la primera copulativa *y* denota un apresuramiento en la escritura que se reitera en el empleo de la misma palabra en el tercer párrafo. Aunque seca, la escritura barojiana no excluye recursos estilísticos como la comparación empleada en el primer párrafo («como una esfera...»), aunque no pueda afirmarse que sea un hallazgo especialmente notable.

7.2. *Libro segundo. «Andanzas y correrías», cap. II, págs. 108-109.*

Zalacaín se sentía muy español, y dijo que los franceses eran unos cochinos, porque debían hacer la guerra en su tierra, si querían.

Capistun, como buen republicano, afirmó que la guerra en todas partes era una barbaridad.

—Paz, paz es lo que se necesita —añadió el gascón—; paz para poder trabajar y vivir.

—¡Ah, la paz! —replicó Martín contradiciéndole—; es mejor la guerra.

—No, no —repuso Capistun—. La guerra es la barbarie, nada más.

Discutieron el asunto; el gascón, como más ilustrado, aducía mejores argumentos, pero Bautista y Martín replicaban:

—Sí, todo eso es verdad; pero también es hermosa la guerra.

Y los dos vascos especificaron lo que ellos consideraban como hermosura. Ambos guardaban en el fondo de su alma un sueño cándido y heroico, infantil y brutal. Se veían los dos por los montes de Navarra y de Guipúzcoa al frente de una partida, viviendo siempre en acecho, en una continua elasticidad de la voluntad, atacando, huyendo, escondiéndose entre las matas, haciendo marchas forzadas, incendiando el caserío enemigo...

¡Y qué alegrías! ¡Qué triunfos! Entrar en las aldeas a caballo, la boina sobre los ojos, el sable al cinto, mientras las campanas tocan en la iglesia. Ver, al huir de una fuerza mayor, cómo aparece entre el verde de las heredades el campanario de la aldea donde se tiene el asilo; defender una trinchera heroicamente y plantar la bandera entre las balas que silban; conservar la serenidad mientras las granadas caen estallando a pocos pasos, y caracolear en el caballo delante de la partida, marchando todos al compás del tambor...

¡Qué emociones debían de ser aquéllas! Y Bautista y Martín soñaban con el placer de atacar y de huir, de bailar en las fiestas de los pueblos y de robar en los Ayuntamientos, de acechar y de escapar por los senderos húmedos y dormir en una borda sobre una cama de hierba seca...

—¡Barbarie! ¡Barbarie! —replicaba a todo esto el gascón.
—¡Qué barbarie! —exclamó Martín—. ¿Se ha de estar siempre hecho un esclavo, sembrando patatas o cuidando cerdos? Prefiero la guerra.

 — Coméntese el texto anterior atendiendo a los siguientes puntos: 1) enfrentamiento de distintas concepciones de la vida; 2) aspectos estilísticos.

8. ACTIVIDADES INTERDISCIPLINARES

8.1. Los dos filósofos cuya enseñanza se trasparenta con más claridad en el pensamiento y la literatura de Baroja son Nietzsche y Schopenhauer.

 — Expónganse sendos resúmenes de las ideas de ambos filósofos, con una especial atención a aquellos aspectos en los que quepa rastrear su influencia sobre Baroja.

8.2. La de *Zalacaín* es una historia que discurre sobre un fondo histórico que no pocos españoles reconocerían en 1909. La España retratada es la que asistió a varias guerras civiles libradas en una parte de su territorio (el norte) entre los carlistas, que rechazaban la subida al trono de Isabel II, y los liberales, que apoyaban a ésta. Pero el enfrentamiento dinástico es sólo una parte del problema, porque detrás de él hay motivos políticos, económicos y religiosos.

 — Proporciónese información sobre las guerras carlistas del siglo XIX, atendiendo de manera especial a las implicaciones señaladas en el párrafo anterior, y examínese el desarrollo histórico de la confrontación.

8.3. Una parte muy considerable de la novela española posterior a 1939 está basada en la concepción barojiana del género.

Debe tenerse en cuenta la práctica inexistencia de tradición realista inmediatamente anterior, porque el intelectualismo de la narrativa del 27 quedaba muy lejano de la sensibilidad del escritor nacido para la literatura al mismo tiempo que la guerra civil.

 — Partiendo de cierto conocimiento de las características generales de la narrativa de los años cuarenta y cincuenta del siglo XX, señálense los aspectos en que se considere que Baroja influyó en los novelistas de aquel tiempo.

9. BIBLIOGRAFÍA COMPLEMENTARIA

ALONSO, Cecilio, *Intelectuales en crisis. Pío Baroja, militante radical (1905-1911),* Alicante, Instituto de Estudios Juan Gil-Albert, 1985.
    Documentado estudio sobre la ideología del Baroja juvenil.

BASANTA, Ángel: *Baroja o la novela en libertad,* Madrid, Anaya, 1993.
    Resumen didáctico especialmente útil para estudiantes de Bachillerato.

BELLO VÁZQUEZ, Félix, *Lenguaje y estilo en la obra de Pío Baroja,* Salamanca, Universidad, 1988.
    El propósito principal es demostrar lo que de tópico y exageración hay en la idea de que la prosa barojiana es abundante en incorrecciones, no obstante lo cual abundan los ejemplos que contradicen tal defensa.

—, *El pensamiento social y político de Pío Baroja,* Salamanca, Universidad, 1990.
    Con prolijidad de citas del escritor, se defiende la idea de que, en contra de lo tantas veces dicho, el pensamiento de Baroja no es exclusivamente destructivo, sino que aporta propuestas afirmativas.

—, *Pío Baroja. El hombre y el filósofo,* Salamanca, Universidad, 1993.

En la primera parte se insiste en temas muy tratados en la bibliografía barojiana; en la segunda se apuntan influencias filosóficas más (Nietzsche, Schopenhauer) y menos (Kant, el budismo) trabajadas.

CAMPOS, Jorge, *Introducción a Pío Baroja,* Madrid, Alianza, 1981.

Breve, pero sustanciosa presentación de biografía y obra.

CARO BAROJA, Pío (ed.), *Guía de Pío Baroja. El mundo barojiano,* Madrid, Caro Raggio-Cátedra, 1987.

Completo catálogo bibliográfico.

ELLER, Kenneth G., «Literary Masterpieces in Baroja's *Zalacaín el aventurero:* Heroism and Irony», *Neophilologus,* 77/3 (jul. 1993), págs. 403-410.

Somero repaso a las posibles fuentes literarias de la novela, desde el *Cantar de Mio Cid* hasta *Don Juan Tenorio,* pasando por el *Amadís* y el *Quijote.*

EXTRAMIANA, José, *La guerra de los vascos en el 98. Unamuno, Valle-Inclán, Baroja,* San Sebastián, Haranburu, 1983.

Parcialmente interesante por tratar de *Zalacaín.*

GOWLAND, Mariano Ezequiel, *Las «Memorias de un hombre de acción» de Pío Baroja: estructura narrativa y simbolismos históricos,* Madrid, Pliegos, 1996.

Pese al título, se trata de un libro más próximo al estudio (un tanto superficial) de contenidos.

KORKOSTEGI ARANGUREN, María Jesús, *Pío Baroja y la gramática. Estudio específico del leísmo, laísmo y loísmo y la duplicación de objetos,* San Sebastián, Universidad de Deusto, 1992.

Discutible refutación de la idea tradicional sobre las incorrecciones gramaticales del escritor, basada en un *corpus* reducido (cinco novelas).

LASAGABASTER, Jesús María (ed.), *Pío Baroja. Actas de las III Jornadas Internacionales de Literatura,* San Sebastián, Cuadernos Universitarios, 1989.
Miscelánea con artículos de distinto interés.

LECUONA LERCHUNDI, Lourdes, *Presencia de lo inglés en Pío Baroja,* San Sebastián, Sociedad Guipuzcoana de Ediciones y Publicaciones, 1993.
Extenso estudio comparatista en el que el nombre de Charles Dickens aparece privilegiado.

LÓPEZ-MARRÓN, José M., *Perspectivismo y estructura en Baroja,* Madrid, José Porrúa Turanzas, 1985.
Estudio del empleo de la historia por parte de Baroja, con especial atención a las *Memorias,* con las que el escritor inserta a su personaje en la colectividad.

NAVAJAS, Gonzalo, *Pío Baroja,* Barcelona, Teide, 1990.
Lectura un tanto compleja de la obra de Baroja, reforzando los vínculos que la unen con el difuso concepto de modernidad cultural.

SALVADOR PLANS, Antonio, *Baroja y la novela de folletín,* Cáceres, Universidad de Extremadura, 1983.
Explicación (parcial) de las líneas fundamentales de la narrativa barojiana a partir de la comparación con el folletín.

COLECCIÓN AUSTRAL

EDICIONES DIDÁCTICAS

Voltaire
525 **Cándido o el optimismo**
Edición y traducción de Mauro Armiño
Guía de lectura de Francisco Alonso

Luis Mateo Díez
529 **Los males menores**
Edición de Fernando Valls
Guía de lectura de Enrique Turpin

Juan Marsé
536 **Cuentos completos**
Edición y guía de lectura de Enrique Turpin

Francisco Martínez de la Rosa
545 **La conjuración de Venecia**
Edición y guía de lectura de Juan Francisco Peña

Enrique Gil y Carrasco
546 **El señor de Bembibre**
Edición y guía de lectura de Juan Carlos Mestre y Miguel Ángel Muñoz

Rafael Sánchez Mazas
552 **La vida nueva de Pedrito de Andía**
Edición y guía de lectura de María Luisa Burguera

Arturo Pérez-Reverte
561 **El maestro de esgrima**
Prólogo de José María Pozuelo Yvancos
Guía de lectura de Enrique Turpin

Miguel Delibes
571 **El camino**
Introducción de Marisa Sotelo
Guía de lectura de Fernando de Miguel

Carmen Laforet
572 **Nada**
Introducción de Rosa Navarro Durán
Guía de lectura de Enrique Turpin

George Orwell
573 **Rebelión en la granja**
Introducción de Rosa González
Guía de lectura de Francisco Alonso

Rafael Sánchez Ferlosio
575 **El Jarama**
Introducción y guía de lectura de María Luisa Burguera

Ramón J. Sénder
576 **Réquiem por un campesino español**
Edición y guía de lectura de Enrique Turpin

Camilo José Cela
577 **La familia de Pascual Duarte**
Introducción de Adolfo Sotelo
Guía de lectura de Antonio Cerrada